그냥, 이야기

송정희_채원

나의 감성과 감정을 서툴지만 담담하게 글로 표현하려 애쓰는 나를 발견합니다. 꿈도 많았고 하고 싶은 것도 많았지만 부족함과 상실감으로 몸과 마음이 아팠던 내 인생의 한편을 잘 마무리하고자 합니다. 따뜻한 마음의 사람 좋은 사람이 되고자 합니다.

그냥, 이야기

발 행 | 2024년 08월 01일
저 자 | 송정희_채원
펴낸이 | 한건희
펴낸곳 | 주식회사 부크크
출판사등록 | 2014.07.15.(제2014-16호)
주 소 | 서울특별시 금천구 가산디지털1로 119 SK트윈타워 A동 305호
전 화 | 1670-8316
이메일 | info@bookk.co.kr

ISBN | 979-11-410-9923-7

www.bookk.co.kr

그냥,
이야기

송정희_채원 지음

프롤로그

내가 무엇을 하며 무엇을 좋아하고 무엇을 잘하는지 부모님은 물론 나 자신조차도 잘 모르고 성장해 왔다. 몇 년을 사이로 갑작스레 찾아온 부모님의 죽음으로 모든 것을 첫! 이라는 경험치를 터득하며 동생들과 살아내었다.

그렇지만 만만치 않은 세상 속에서 나는 점점 나를 잃어갔고 내가 정말 무엇을 하고 있는지도 인지하지 못한 채 그저 나는 일만 할 줄 아는 청춘 아닌 청춘을 보냈다.

동생들의 성장과 독립으로 그리고 어느 날 이유 없이 아프게 된 나를 스스로 돌아보는 계기가 되었다.

책을 읽었고 음악을 들었으며 그리고 주위의 사

람들과 수다를 떠는 여유를 부리고 또 내가 하고 싶어 하는 것들을 찾아서 하면서 나는 나를 사랑하려고 무던히 애를 쓰며 지금껏 살아오고 있다. 나를 사랑하는 것 자체가 지금 내가 나를 돌아보며 살아가는 이유다. 그저 존재감 없는 듯 못난이 같다고 생각하는 내가 나를 스스로 이쁘게 바라보는 것 그게 지금은 내가 사랑하며 살아가는 이유이다.

그럼에도 마음 한구석엔 먹먹한 돌덩이가 자리 잡은 듯 무언가가 자꾸 나를 움켜쥐는 느낌이 한 번씩 들었다. 누군가에게 나의 속내를 보이는 것이 불편하기도 했다. 그런 내 속내를 보이는 것으로 상대에게 나를 쪼그라뜨리는 기분이 들었기 때문이다. 여태껏 살아오면서 누군가에게 말 한마디 행동 하나하나 참으로 소심스럽도록 조심스러웠고 겁이 났다. 이른 나이에 부모의 죽음은 약점으로 적용되어 다른 이들에게 "부모 없는 것들! 배운 게 없어서 저따위로!!" 이런 말들을 듣고 싶지 않아서 동생들에게 최고의 노력을 나에게는 불안함과 가슴 속에 응어리를 남기는 감정 바구니를 키울 뿐이었다.

그런 내게 글을 쓰게 되는 기회가 생겼다. 초등학교 때부터 끄적거리며 썼던 기억이 나를 이렇게 이끈 것 같다. 내 글은 세련되지도 화려한 어휘도 멋들어진 내용도 그다지 없다. 무엇을 써야 하나 망설임도 있었지만, 그저 지금 나로 내가 살아오며 내가 겪었던 어느 한 시절을 떠올리며 써 내려갔다. 나의 어린 시절의 몇몇 에피소드들을 토해 내며 적어 내려갈 때 조금은 후련한 감도 없지 않아 있다. 그 시절 그랬는데 지금은 그래도 그때보다 참 좋다!

이 글은 어느 사람인가에게 나의 깊은 마음을 드러내 놓은, 그냥, 이야기다. 온전히 나를 바라보는 시선을 또 아이와 어른 사이 모두 사랑하는 가족에게 따스한 시선과 마음, 사랑을 표현하고 나누며 위로한다는 것이 얼마나 소중한 일인지 말하고 싶었다. 이 글을 읽은 그 누군가도 나를 따뜻이 안아주었으면 하는 바람이다. "수고했어~ 잘 살았어!"라고.

CONTENT

왜 말을 못 했을까?

왜 그런지 나는 무엇을 해달라는 말을 잘 하지 않았다. 아니 못했다는 표현이 맞을 것이다.

부모라면 자식에게 무한대로 원하는 것을 알아채고 해주어야 할 것이고 자식이라면 성장 과정에서 부모에게 원하는 것을 해달라고 하는 게 당연할 건데 나는 그 말이 쉽게 입 밖으로 나오지를 않았다. 일찌감치 철이 들었다기보다는 눈치가 늘었다고 해야 하는 게 맞는 듯하다.

내 부모는 자식 셋을 낳아 커가고 있는 가운데도 여전히 가난했고 아버지의 무능력과 건강치 못한 신체와 여리고 여린 정신은 엄마를 여전히 힘들게 했기에 그런 모습을 보고 성장해 가는 나에게 이것 필요해 저것 해야 한다고 말하는 것이 부담감으로 다가왔고 그렇게 말하면 안 될 거 같은 중압감이 들었다. 왠지 그런 말들을 하면 아버지보다는 엄마가 힘들 거 같아 보였고 어린 나의 짧은 생각으로는 내 요구에 보답이 없을 거 같았다. 그런 상황을 요즘 쓰이는 말로 정해진 답으로 대답만 하라고 해야 하나.

내 어릴 적 초등학교 때는 성금 모금이 참 많았다. 그때의 우리들은 별도의 용돈도 없는지라 다들 모금비를 부모에게 타서 내었다. 전교생이 다 내어야 하는 의무임에도 나는 입이 떨어지지 않았다. 하더라도 겨우 새가 짹짹하고 짧은소리를 내듯 입술에 침 한 번 바르고 기승전결에 결만 옹알이하듯 말하고는 했다. 가타부타 없이 알아들은 엄마는 선심을 쓴 듯 백 원을 툭 던져 받게 했다.

지금 초등학교의 전체 학년수가 적지만 그 시절에 각 반에 학생 수가 오십 명을 넘고 반 수는 적어서 오전 오후 수업으로 나뉘어 등교했다. 그날은 오후 수업이었다. 엄마는 장사할 물건을 마련하려 시장에 나가셨다. 나는 학교 가기 전 집안을 아주 빛이 나도록 청소했다. 그리고 부엌의 찬장에 있는 노란 양은 냄비를 철 수세미에 이쁜이 비누를 묻혀 열심히도 닦아내었다. 그때의 나는 내 또래와 비교하면 집안 살림도 꽤 하는 편이었다. 학교 가기 전 집에 귀가한 엄마는 깨끗해진 집안을 보고 흡족한지 기분이 좋아 보였다. 그러더니 내게 백 원을 주었다. 마침 그날은 성금을 가져가야 했기에 다행이었다. 어찌 보면 내가 받은 백 원은 내가 청소를 잘해놓아서 받은 칭찬에 대한 보상이고 내가 학교에 내야 할 성금을 받아 내야 하는 건 별도의 요구임에도 나는 따로라고 생각할 수가 없었다. 어찌 됐든 간에 나는 백 원을 받았으니까.

그런데 참으로 어이없는 실수라고 해야 하나. 일어날 수밖에 없는 정해진 순서라고 해야 하는 건가. 방문이 여닫이문인데 방문 틀에 아주 작은 틈이 있다. 뭘 눈엔 뭐만 보인다고 그 틈 사이에 먼지가 있는 게 보였다. 청소 잘했다고 칭찬도 받고 백 원도 받아 살짝 기분이 좋아진 나는 그 먼지를 없애고자 했다. 그 틈에 뭔가를 끼워 넣어 먼지를 꺼내야만 했다. 나에게는 그 먼지를 꺼낼 도구는 백원짜리 동전이었다. 틈 사이에 백 원을 끼어 먼지를 꺼내 올리려던 찰나 내 손가락에서 동전이 미끄러져 빠지면서 작디작아 보였던 틈 사이로 동전이 쏙 사라져 버렸다. 잠깐 행복했는데 칭찬도 받았는데 정말 오 분여 사이에 나는 천국과 지옥을 맛보고야 말았다. 나는 그 백 원을 다시 달라고 말할 용기가 나지 않아서 결국 빈손으로 학교에 갔고 옆 친구에게 최대한의 안쓰러운 표정을 지으며 백 원을 빌려 무사히 학교에서 주어진 의무를 다했지만, 친구에게 백 원을 갚을 때까지 "백 원 줘"라는 성화에 조금 시달려야 했다. 그때의 백 원은 초등학생에게 적은 돈은 아니었으니까. 그날 내 손에서 사라진 그 백 원을 엄마에게 성금 해야 한다고 다시 달라고 했으면 엄마는 뭐라 했을까? 아마도 이렇게 말했으리라. "아까 줬잖아!!"

나는 한때 트레이닝복을 즐겨 입었다. 그런 이유엔 온몸으로 느낀 수치스러움이 안 잊혔기 때문이다. 초등학교 6학년. 가을 운동회를 위한 연습을 매일 했다. 우리 학년은 곤봉 체조 시범이 있었다. 운동회 이틀 전에 일이 생겼다. 한창 여름 체육복을 입고 연습을 했고 단체복으로 똑같이 입는 거로 알고 있었는데 선생님의 지시가 떨어졌다.

"6학년 전체 내일 운동회 최종 연습한다. 한 명도 빠짐없이 긴팔 운동복 바꿔서 입고 오도록 이상!!"

긴팔 체육복이라니 난감하군.

이 상황을 집에 가서 뭐라 말을 하지 나는 도저히 입이 떨어지지 않았다. 이유를 대본즉, 키가 또래보다 컸다. 그리고 반년이란 시간이 지나면 졸업이니 운동회를 한다 해도 새로 반소매 체육복을 살 수는 없었다. 운동회 때 당연히 반소매 운동복을 입어야 한다고 하니 적당히 쬐는 긴팔 체육복을 엄마는 고심도 필요 없이 긴팔 체육복의 팔과 다리 부분을 과감히도 가위로 잘라서 소매와 바지 끝단을 바느질로 수선해서 반소매 반바지로 만들어 주었다. 반소매와 반바지의 길이는 어느 누가 봐도 기존의 디자인과 다른 5부 길이로 말이다. 나는 그마저도 창피함을 애써 외면한 채 입고 열심히 연습했는데 긴팔이라니 체육복을 새로 사야 한다고 말한다 해도 산 후에 입을 일이 없을 거라 절대 안 사줄 거라 믿어 의심치 않았다. 사서 입는다 해도 후에 동생에게 물려줄 일도 없을 듯했다. 나와 5살 차이의 큰 남동생은 이미 초등학교 입학한 해라 새 체육복을 마련했으니까.

말도 꺼내 보지 못한 채 다음 날 나는 5부짜리의 반소매 체육복을 입고 등교를 했다. 운동회 최종 연습을 한다고 운동장에 모였다. 반끼리 줄을 맞추어 섰다. 그때 들렸다. "어제 말한 체육복 빠짐없이 다 입고 왔지!" 귀가 빨개져 왔다. 머리에 식은땀이 나는 걸 처음 느꼈다. 온몸이 뜨거워졌다. 쭉 줄 맞춰 서 있는 같은 반 외에 다른 학생들을 보니 다 모범생이다. 선생님 말씀대로 다 긴팔 긴바지다. 나만 반소매 반바지 긴팔 긴바지도 아닌 5부 체육복이다. 나는 맨 끝 마지막 줄로 뒷걸음쳐서 갔다. 순간 같은 반 아이가 말했다 "야 너만 반소매잖아. 너 때문에 우리 반만 이게 뭐야. 너는 체육복 살 돈도 없어." 딱따구리가 마냥 그 아이는 쏘아대고는 곁에 있기 싫은 듯 앞으로 걸어가서 다른 친구에게 몇 마디 더하는듯했다. 나의 자존감은 바닥을 드러나는 듯했다. 어이없는 거짓부렁을 했다. 옹알이로 "오늘 입고 오려고 빨았는데 안 말라서 그냥 온 건데." 내일은 어쩌려고?? 대책 없는 그 말을 하고는 연습하는 동안 수치스러움과 운동회 당일을 걱정하느라 그 시간이 어찌 지났는지 몰랐다.

그러나 나는 운동회 당일 아무렇지도 않게 별일 없었던 거처럼 반소매 반바지 체육복을 입고 앞 사람 뒤통수만 뚫어져라 보며 곤봉 체조 시범을 했다. 운동회날 엄마는 동생의 첫 운동회며 나의 마지막 운동회임에도 오지 못하셨다. 그러기에 나의 옷차림이 다른 아이들과 다른 걸 알 수 없었다. 또 궁금하다. 그날 엄마가 운동회에 참석하여 다른 아이들과 다른 나의 옷차림을 보면 미안해하셨을까. 아니면 왜 혼자 그렇게 입었느냐고 내게 물어라도 봤을까. 내 엄마가 나에게 당신이 할 수 있는 만큼은 해주었다. 분명 그랬다. 표현이 매우 많이 부족한 엄마여서 자식에게 따스하게 대하는 게 어떤 건지 잘 몰라서 무뚝뚝하고 날카로워 보였던 거 같다. 그때의 나와 엄마가 진정 소통에 진심이 담겨 서로를 바라봐 주었다면 어땠을까.

영화를 본다는 건 행복이었지

학창 시절에는 배우고 싶어도 갖고 싶어도 떼를 쓰거나 해달라고 하고 싶다고 입도 뻥긋 안 했다. 성인이 된 지금도 나에게 그때 왜 그리 말도 못하고 나의 주장도 내 세우지 못했나 하는 의문이 드는 시점이다. 그 수수께끼 같은 궁금증에 작은 답을 찾으려 물어라도 보고 싶지만 이미 부모님은 돌아가셨으니 한쪽 가슴에 묻어 두려 하다가도 왠지 화가 치밀기도 한다. 그 시절의 그 소소한 감정의 소용돌이가 성인이 된 지금도 나를 괴롭히니 말이다.

성인이 되어서도 내가 나를 위해서 무언가를 해보거나 배운다는 건 사치일 정도로 바쁜 일상만이 있었다. 20대의 풋풋한 청춘의 또래들이 즐기는 그들만의 혜택은 나에겐 결코 바라서는 안 될 나에게는 오지도 않을 행운 같은 거였다. 내 나이 이제 오십 중반 불과 나를 위해 조금씩 애쓰기 시작한 것은 사십 대 초중반부터였다. 영화를 보기 위해 영화관을 찾았고 그것도 혼자서 조조 영화를 가려고 휴무 날에 아침부터 꿀잠을 포기

하고 외출을 감행했다. 영화관에서 파는 짠듯하
면서도 달콤한 캐러멜 팝콘의 유혹을 짧은 한숨
과 재빨리 극장 안의 어둠 속으로 들어가는 발걸
음으로 이겨내고 평일 아침이라 몇몇 사람만이
있는 극장 안을 내 집 안방인 양 편히 앉아 영화
를 본 후 바로 집으로 돌아와 조금은 고파진 배
의 허기를 채우고는 했었다. 남들이야 영화에,
연극에, 뮤지컬에 음악회와 여러 예술 문화를 즐
기는 것이 당연시되고 관람 후의 시간도 즐거이
보낸다지만 나는 영화를 극장 가서 보는 소소한
여유가 생겼다는 것 자체만으로 행복했다. 비록
집에 바로 돌아와 김칫국에 밥을 말아 먹을지언
정.

나름의 여유가 더 생길 때쯤 어지간하면 일주일
에 한 번은 영화를 봤다. 물론 조조 상영도 아닌
아침 점심 저녁 그리고 심야까지 내가 보고 싶은
시간을 선택했고 새 개봉 영화가 나오면 바로 가
서 볼 거에 마음이 많이 들뜨기까지 했다. 아마
도 영화를 좀 더 자유분방하게 선택하며 볼 수

있었던 것은 근무하던 직장과 그 직장 주변의 극
장이 협약하였고 근무처 확인만으로 반값의 혜택
도 있었기에 더할 나위 없이 좋은 기회였다. 물
론 다른 직원들도 가족까지 혜택을 받아 좋았을
터지만 나는 쾌재를 부르는 시간이었다. 그리고
짭조름하고 달콤한 옅은 밤색으로 코팅된 캐러멜
팝콘도 그리고 작은 각 얼음이 가득 담긴 콜라도
영화 상영 내내 먹는 즐거움 이였다. 지금은 그
시절보다 영화관을 더 찾지 않는다. 아마도 OTT
가 성행해서이리라. 개봉과 동시에 빠르게 편히
집에서 볼 수가 있으니 굳이 찾아 나서지 않는
거 같다.

아마도 내가 영화를 좋아하고 극장을 찾아가는
건 나의 어린 시절의 희미한 추억 때문인 듯하
다. 아버지는 이따금 내 손을 잡고 어딘지 모를
곳으로 잘 다니셨다. 아 그렇다고 아이들이 못
갈 곳 뭐 이상한 곳은 아니다. 이를테면 노름판
이나 술집 그런 곳·(아버지는 둘 다 좋아하셨지
만) 정확히 몇 살인지는 기억나지는 않는다. 6,

7살 정도인 듯하다. 나는 아버지의 손을 잡고 어느 커다란 건물 앞에 섰다. 어느 장정의 남자에게 뭐라고 몇 마디 하는 듯하더니 건물 안으로 들어갔다. 어린 나는 그사이에 아버지의 손을 놓치기라도 하면 길을 잃을까 봐 꼭 잡고 총총거리며 들어갔다. 사방이 어두웠다. 어두운 곳에 서 있으려니 주변이 잘 안 보였다. 눈을 꼭 감고 있다가 뜨는 주변이 좀 보이기 시작했다. 아주 어두우며 습한 그곳에 비추어진 불 하나가 멀리 밝히고 있고 그 불빛에는 불빛의 반영에 따라 어지러이 움직이는 작은 티끌 먼지들이 나부껴 대고 있었다. 그곳은 극장에서 영화를 상영하기 위해 중요한 역할을 하는 영사기가 있는 곳이었다. 아버지는 여길 어찌 왔을까? 눈만 멀뚱히 뜨고 있는 가운데 아버지는 당신의 무릎에 나를 앉혀서 영사기 쪽 멀리 조그맣게 보이는 화면을 보게 했다. 그저 신기했다. 거기에 몰두할 수밖에 없는 시간이었다. 나는 어떻게 아버지와 여길 오게 된 것인지는 이제 궁금하지도 않다. 그저 텔레비전에 보이는 화면 그 안에서 움직이는 사람들과 그리고 거기서 나오는 말투, 화면의 크기 모든 게 멋스럽고 좋아 보이기만 했다.

그렇게 보게 된 그것이 영화라고 했다. 그리고 그 영사실의 안에서 커다랗고 둥근 쇠뭉치를 아주 세심히 살피며 돌리는 그 분이 아버지 여동생의 남편 즉 나에게는 고모부라고 했다. 고모부는 그 영화관에서 영사기를 돌리는 직업을 가지고 있는 분이셨다. 나는 그날 고모부를 처음 보았지만, 어린 나의 마음에 참 훌륭한 사람이라 생각했다. 솔직히 말하면 그날 영화 내용은 기억이 안 난다. 아마도 아버지가 날 데리고는 갔지만 야하지만은 않은 19금도 아닌 영화였을 거라고만 믿는다. 비록 아버지는 극장 안 의자에 편히 앉아 그 영화를 보지는 않았지만, 영화라고 하는 것이 신비스러웠고 어린 내 가슴이 두근거릴 만큼 신선했다.

나는 이런 조그마한 추억이 불현듯 떠오를 때가 있다. 그때의 그 시절 그 감동이 사뭇 그리워진

다. 아마도 아버지는 그 고모부를 찾아간 그 극장의 영화를 본 것이 마지막이었을 거라 막연히 생각해 본다. 내 기억이 아버지는 그 영화가 처음이자 마지막이었다고 단호히 말해주는 거 같다. 가끔 텔레비전에서 나의 어린 시절쯤에 상영되었던 영화가 방영되면 생각한다. 그때 내가 봤던 그 영화였을까 라고.

할 줄 아는 걸 다시 하는 용기

어린 시절 나는 조용한 아이였다. 그냥 집에서 혼자서 노래 부르고 혼자서 2인 역할인 양 주거니 받거니 하며 이야기하기를 좋아했다. 이런 나를 참 착한 아이라고들 했다. 왜 그런 내 행동이 착하다고 하는 건지 지금은 세상의 물듦과 미디어의 방출 되는 수많은 이야기로 곁들여 보자면 나는 조용하고 착한 아이가 아니라 소심하고 내 주장을 펴지 못하는 눈치 7단 정도의 아이였던 거 같다. 물론, 그 시절 나의 부모는 당신들의 형편과 주장으로 내게 사랑을 주었겠지만, 나는 말로 형용치 못하는 완전한 사랑을 꿈꾸는 아이였던 거 같다.

초등학교 시절엔 지금의 방과 후 수업처럼 학생들이 배우고 싶은 것 활동하고 싶은 것들에 대한 수업이 있었다. 나는 조금은 아픈 다리로 다른 친구들처럼 운동장에서 활발히 뛰어다니는 체육 활동은 두려웠다. 그리고 교실에서 하는 미술 수업, 만들기 수업도 마음 깊이 하고 싶었지만, 그

고민이랄 것도 없는 고민도 접어 버렸다. 미술 수업, 만들기 수업의 준비물을 매주 준비해야 한다는 것이 내게는 부담스러운 수업이었다. 물론, 어느 수업이든지 준비물을 준비해 가야 하는 걸 엄마에게 말한다면 당장은 아니라도 해주었을 것이다. 분명히 그러했을 것이라고 믿어 의심치 않는다. 그런데도 나는 내 엄마임에도 당연히 해달라고 해야 하는 상황을 당당히 요구치 못하고 눈치를 보며 쭈뼛거리기 일쑤였다. 그래서 내가 선택한 활동 시간 수업은 글쓰기 문예반이었다. 다른 건 몰라도 원고지와 연필은 별다른 요구 없이도 준비할 수 있을 거 같아서였다.

그렇게 나는 글짓기를 했다. 뭘 썼는지 모르겠다. 그런데 일주일에 한두 번 활동 수업 글짓기 시간이 기다려졌다. 즐겁기까지 했다. 200자 가로로 그어진 빨간 네모 칸에 내 생각들 내 상상의 꿈같은 것을 채워가는 것이 좋았다. 그래, 좋았다는 말밖에는 달리 표현할 게 없다. 행복하다는 게 아마도 그런 기분이었을 것이다. 같은 문예반에 옥씨 성을 가진 남학생이 있었다. 지금 기억으로도 참 나이에 어울리지 않게 섬세한 글솜씨를 가지고 있었다. 그 아이는 학교 행사의 글짓기 대회서 더는 큰 백일장에 대표로 나가서도 매번 상을 타오니 왠지 부러워지기 시작했다. 그렇게 모든 것을 다 가진 듯한 그 아이가 내 눈에는 크게 보였고 나도 잘 써서 상 타보고 싶다고 막연히 작은 소망 하나를 품에 담았다. 가만히 생각해 보면 그 아이가 상을 타온 날 학교에 데리러 온 그 아이 엄마의 따스한 미소와 잘했다고 꼭 안아주는 그 모습이 나이기를 바라는 마음이 컸을 수도 있었던 거 같다.

그렇게 소망만 마음속에 담아 두고 중학교 진학을 했다. 나는 처음 생긴 남녀공학으로 진학하게 되었는데 그 아이도 같은 학교에 배정되었다. 여전히 나는 수업 외의 활동 시간을 문예반으로 정하였다. 하던 것들이 손에 익어 편하듯 그저 그 시간이 나를 자유롭게 해주었고 방해받지 않는 시간이었기 때문이었다. 역시 그 아이도 문예반에 들어와 같이 활동했다. 여전히 그 애 글은 매끄럽고 막힘이 없었다. 중학교 첫 백일장에서도 돋보이는 그 아이의 당당한 표현력의 글은 나 혼자만의 질투로 뿜어내고 별반 의미 없는 경쟁을 홀로 하고는 했다. 나는 글을 쓰는 걸 좋아하는 건지 아니면 그 아이처럼 글을 써서 상을 쓰고 싶었던 건지 아니면 상 하나 받아서 그 아이의 엄마처럼 내 엄마에게 따스한 미소와 포옹과 칭찬을 받고 싶었던 건지 그렇게 나는 어떤 것이 나의 마음인지도 모르는 정체성을 가지고 학교 수업보다는 문예반에서의 활동에 최선을 다하는 날이 많기도 했다. 나에게도 소망의 햇살이 생겼다. 백일장에서는 장원은 아니지만 입상이란 상을 받았고, 과학의 날 행사로 미래에 대한 주제로 하는 글짓기에서 2등으로 상장을 수여했다. 당연히 그 아이도 같은 상을 받아서인지 왠지 '같이 해냈구나!' 하는 기쁨과 함께 어느샌가 부질없던 질투감과 부러움은 사라지고 없었다. 그러나 내심 기대해 오던 내 엄마의 따스한 미소와 포옹은 없었다. 그저 내 딸이 뭔가를 해서 잘했다고 하얀 종이의 표창장이란 것을 받아 왔구나!' 하는 정도였을 뿐이다. 처음 상을 받은 후 두어 번의 글쓰기의 시상이 있었고 학교 행사 때는 그 아이와 시화 전시를 했다. 시화에 그려진 그 아이의 그림은 어쩜 그리 색채도 이쁘고 잘 그렸는지 '이 아인 그림에 재주도 있구나!' 하며 잠시 잠들었던 나의 질투가 다시 솟구치면서 졸업했다.

나는 그렇게 글쓰기를 시작한 것이다. 그러나 녹록지 않은 그 수많은 세월의 시간 속에서 나는 쓰고 싶다는 열망만 간직한 채 살아가기 벅찬 날들이었다. 그래도 가끔은 컴퓨터에 몇 자씩 남겨도 보았지만 뭔가 해소되지 않는 갈증 같은 것이 생겼다. 그렇게 세월은 흐르고 정체되지 않은 시간 속에서 나는 다시 글쓰기를 시작해 보려 애쓰고 있다. 역시 그나마 내가 잘했던 건 그래도 글쓰기였던 거 같다. 솔직히 글을 쓰고 나를 나타내는 일 거기에 합당한 무언가의 결과물을 만들어야 하는 것에 대한 부담과 떨림이 얼마나 가득

한지. 느리지만 천천히 나를 다독이며 시작한다.

대부분 노트북 자판을 두들기느라 이제는 대부분 원고지를 지양한다. 노트북에 느린 타자와 오타 투성이를 남기면서 내 생각을 노트북에 써 내려간다. 세련된 어귀도 표현도 없다. 단순한 감정의 표현만 남길 뿐이다. 뭘 시작하겠다 하면 이것도 저것도 걸리는 게 많다고 틈틈이 써 왔던 많은 글이 저장되지 못하고 나의 실수로 사라져 버렸지만 어쩌랴. 다시 써야지. 그래도 글을 쓴다니 반려자가 새로 마련해준 노트북에 열심히 쓰는 수밖에. (그냥 노트북 선물로 마련해줘서 고맙다고 표현하고 싶었다. 하하하)

게으른 시작에 관한 나의 전지적 시점

나는 게으른 편의 사람이다. 무엇을 시작하려
고 생각했다면 시동이 참으로 오래 걸리는 사
람이다. 머릿속은 이것저것 해야 할 일들이 떠
오르고 해야 하고 해보고 싶은 것들이 많아지
고 있지만 나는 생각만 품고 있고 그 무엇이
든 간에 여전히 실행치 못하고 여러 날을 빈
둥거리며 품은 생각의 풍선만 부풀리고 있다.
매일 생각의 성에 둘러서서 불안의 블록들을
하나씩 테트리스 하듯 맞춰가며 헛된 소비의
날을 보내고야 만다. 시작도 하기 전부터 불안
감과 주위 환경을 탓하는 바보 같은 내가 되
어간다.

그러다 점점 옥죄어 오는 시간이 다가옴을 느
끼는 나는 초조와 불안을 가슴에 담고 아닌
척 지금부터 해야 한다는 중압감을 애써 누르
면서 시작 버튼을 누르기 시작한다. 그리고 왜
진즉에 빨리 시작하지 못했을까 연신 후회하
고 또 게으른 내 탓을 하고 스스로 연신 구박
한다. 이러다 보니 남들보다 늦은 출발점에서

시작할 때가 많다.

나는 내 머리의 기억력을 믿는 사람이다. 예전엔 매 순간 매초의 사건 행동과 말들 사물의 포지션 등 미세한 것까지도 기억해 냈지만, 지금은 점점 나의 기억력이 상실되어 가고 있다. 그렇다고 남들이 흔히 말하는 메모 필기를 잘하지도 않는다. 여전히 내 기억력을 희미하게나마 믿고 싶은 나의 되먹지 못한 똥배짱 같은 거라고 해야 하나. 나의 기억력은 가끔 생각해야 할 것들과 오만 잡다한 생각들이 뒤죽박죽 뒤엉켜 그나마 늦은 출발점에 화통을 부어내고 만다. 그러면 나는 연신 한숨과 한 박자씩 늦는 나의 모든 신체의 움직임에 온 신경을 집중시킨다. 그렇게 나는 힘들게 시작의 출발점에서 애쓰고 나아간다.

나는 게으른 편의 사람이다. 또한 나는 느린 사람이기도 하다. 나의 능력치가 어디까지인지는 내 스스로 잘 모르지만 나는 내가 할 수 있을 만큼의 결과를 만들고자 한다. 나는 그런 사람이다. 새로운 것들에 대한 아련함을 품고 그것들에 대한 많은 생각들로 가득 쌓여가고 기억이 희미해져 생각이 나지 않고 불현듯 또 다른 생각으로 히죽거려지는 날이 있지만 여전히 메모하지 않는 그리고 실행치 않고 빈둥거리는 날을 보내기도 하는 나는 그럼에도 소심히 나를 믿는다.

남들보다 늦은 시작과 단순하지 않은 생각으로 나를 스스로 힘들게 하는 옥죄는듯한 고통. 스스로 부족함을 뇌 새김질하는 자존감으로 자꾸 주저앉게도 하지만 이미 출발선 앞에 섰으니 알 수 없는 결과에 최선이라는 선택을 하며 나아가려 한다. 나는 나인데 뭘 어쩌겠어! 그냥 열심히 하면 되지. 늦으면 늦은 대로 알면 아는 대로 모르면 모르는 대로 그게 나고 나의 게으르고 느리게 한 시작이지만 시작하니 끝이 있을 거야 분명! 그러니 여전히 콩알같이 콩닥거리는 불안감은 한쪽에 잠시

놓아두고 천천히 해보는 거다. 자! 새로이 시
작.

위로해 줄게

오래간만에 햇살이 포근해서 기분 좋은 아침이다. 이따금 살랑거리는 바람의 유혹을 느껴보려고 커다란 유리 창문을 활짝 열어보았다.

순간 나는 온몸을 감싸는 햇살의 강한 기운에 손으로 얼굴을 가렸다. 손가락 사이를 비집고 들어오는 햇빛, 그리고 슬며시 드리운 그늘에 살짝 실눈이 떠졌다. 그 앞에는 이마와 눈을 마주하고 있는 왼쪽 손이 있다.

시선이 머물렀다. 몇 분이었을까? 아니 몇 초였을까? 손을 보니 묘한 생각이 들었다.매일 매일 일상을 같이 하며 나의 움직임에 따라 바지런히 움직이느라 쉴 틈이 있었을까 싶은 손.

아, 내 손이 이렇게 생겼구나! 나는 매일 보던 손을 처음인 것처럼 요리조리 살펴보았다. 마르지도 통통하지도 않은 손바닥. 옆으로 조금은 넙데데한 듯한 크기. 하얀 살에 빗대어 조금은 흐릿한 색상, 작은 산맥의 줄기인 양 조금 툭 튀어

나온 푸른 핏줄.

그러고 보니 내 손이 하얗구나! 손가락 길이는
기네. 그런데 가운데 있는 손가락 끝은 네 번째
손가락과 붙어 있지를 않네. 손톱 부위도 조금은
휘어졌네. 너 혼자 다르다고 슬퍼하지는 않았니?
다른 손으로 너를 어루만져 줄게. 후후 손을 보
며 손가락에서 쓰다듬음이라니. 나의 유아다움이
스스로 왜 이리 사랑스러울까? 나는 내 달콤한
고백에 혼자 도취 되어 흐뭇하게 웃던 그때, 엄
지손가락이 조금은 슬픈 모양새로 기억하니? 라
며 물어 온다.

엄지손가락 마디에는 대각선 모양으로 실선의 흉
터가 있다. 그리고 그 실선의 흉터 위로 살이 죄
다 패인 형태로 되어 있다. 엄지손가락은 내가
기억해 주길 바라는 눈치다.

온수가 나오지 않는 집에 살던 어느 추운 겨울날
설거지를 하지 않아 꽁꽁 얼어 버린 그릇의 얼음

을 감히 용감스럽게 부엌의 식도로 콩콩거리며 깨려다 칼끝이 엄지손가락 마디에 콕 찍혔지.

그때 병원에 간다는 생각도 못 했고 엄두도 나지 않았어. 사실 그때 나는 사는 게 너무 힘들 때라서 아마도 병원 치료는 사치라고 생각했던 거 같아. 다행히 약국 약사님이 뼈는 안 보여서 다행이라고 하시면서 그래도 병원 가서 꿰매는 것도 좋을 거라 하셨지. 하지만 나는 열심히 약을 바르고 그저 상처가 아물기를 바랐어.

상처가 흉터로 자리 잡으면서 나는 찔리고 피 흘리던 그 순간의 아픔이 희미해져 갔지만, 30년이 흘렀는데도 바람이 쌩하니 부는 겨울이 오면 엄지손가락이 아리고 저려와. 그럴 때마다 나는 그냥 '아프네' 하며 그렇게 세월 속으로 그 상처를 묻어 두었다. 엄지손가락 너도 참 아팠을 텐데. 주인의 무심함이 너를 보지 못했구나! 미안해. 추운 날 너의 손가락을 감싸 온기로 따스하게 해 줄게.

어떤 이들은 내 손이 예쁘다고 말해주었는데 나는 내심 좋으면서 아니라고 놀부 같은 심보로 뾰로통하기도 했다. 그리고 눈에 거슬릴 때만 손등에 쓱쓱 크림을 덤벙덤벙 발라주었다. 고마워해 주지도 아껴주지도 보듬어 주지도 않았으니 그동안 얼마나 애가 닳았을까?

이제 사랑해 주세요. 하는 너희들 맘을 알게 해줘서 고마워. 오늘같이 손을 무심히 보게 되는 날이 되면 조물조물 만지며 쳐다보고 또 쳐다봐야겠다. 그리고 주문을 걸어야겠다.
'아휴, 내 손 참 이쁘다. 내 손가락 참 길고 하얗구먼.'

분노도 그리움이다.

어린 소년과 그의 아버지는 머나먼 타국으로 힘들게 온 난민이다. 그 부자에게 이곳 타국은 따스함이 가득한 곳이 아니었다. 배고픔과 추위뿐만 아니라 모든 걸 감당하기엔 역부족한 상황이었다.

아버지에게 직업을 찾기란 쉽지 않은 일이었고 아들과의 시간은 점점 궁핍해져만 갔다. 갈 곳 없는 부자는 노숙하며 도움을 구하기도 했지만, 현실은 참혹했다. 아버지는 더 이상 희망이 없음을 알았다. 아들만이라도 굶지 않게 해줘야 했기에 비 오는 어느 저녁 아버지는 아들을 보육원으로 데리고 간다. 그리고 아들의 목에 노란색 목도리를 둘러주며 다시 만날 날의 희망을 아들의 가슴에 품어준 채 노란 우산을 쓰고 유유히 사라져간다.

소년의 보육원 생활은 그리움이다. 소년의 하루는 2층의 커다란 창가에서 시작되었다. 노란 우산을 쓰고 저 멀리 사라졌던 아버지. 다시 나를

찾아올 거라고 속삭여 주었던 아버지를 기다리는
것이다.

비가 내리던 어느 날 소년은 여전히 창밖을 바라
보며 아버지를 기다리고 있었다. 작은 차 한 대
가 보육원 앞에 조용히 서더니 약간은 심통이 난
듯한 작은 소녀와 중년 여인이 내렸다. 소년의
눈에 비친 모습은 소녀가 아닌 노란 우산이다.

노란 우산은 아버지다. 소년은 두근거리는 마음
을 안고 소녀의 우산을 장롱 속에 숨겨 놓았지
만, 소녀에게 들키자, 마음 깊이 담아져 있던 그
리움의 눈물로 얼룩졌다. 소녀는 노란 우산을 소
년에게 선물로 주었다. 그 노란 우산의 그리움을
안고 소년은 어른이 되었고 소녀와 가정을 이루
었다. 그리고 그 그리움으로 우산 가게를 꾸렸
다.

노년이 된 어느 날 우산 가게에 어린 소녀가 우
산을 사러 왔다. 긴 긴 세월 간직해 왔던 노란

우산을 그 소녀가 가지고 갔다. 그때 가게 밖으로 비치는 환영, 그것은 노란 우산을 쓰고 있는 아버지의 모습이었다. 아들은 성치 않은 다리를 지팡이에 의지하며 아버지에게 달려가 보지만 노란 우산과 함께 아버지의 환영은 연기처럼 사라져 버린다. 그의 아내가 다가와 그를 안아준다. 어린 시절 만나 지금 노년이 된 두 사람은 서로를 의지해 일어서서 두 사람의 보금자리인 우산가게로 들어간다. 여기까지가 내가 본 [umbrella]란 이야기다.

아들이 평생 아버지를 그리워하며 기다리는 희망과 노란 우산을 보며 슬픔에 사무칠 때 그 소녀가 아내가 되고 또 노년을 함께 하기까지 얼마나 사랑하고 애쓰며 다독이고 보듬으며 살았을까? 그의 아내 덕에 충분한 사랑을 받으며 온전한 가정을 꾸미며 살아왔지만, 그 아들이 마음속 깊이 간직하고 기다려 온 아버지의 속삭임의 희망 그리고 노년에 걸쳐 그의 인생에 보였을 노란 우산으로 과연 그는 온전히 행복했을까? 분명 행복했을 거다.

희망에서만 행복이 있다고 생각지는 않는다. 슬
픔 안에도 그리움 속에도 분명히 행복은 있다고
생각한다. 그 아들은 그에게 주어진 행복과 사랑
을 지키기 위해 노력했을 것이다. 참 애쓰며 살
아왔을 아들에게 박수를 쳐 주고 싶다. 그를 가
슴 뜨겁게 안아주고 싶다.

그러면서 내 마음에는 아들과 아버지에 대한 관
계에 작은 분노가 일어났다. 그저 영화의 잔상을
떠 올리며 해피엔딩으로 맞이하면 좋으련만 아마
도 나는 나쁜 생각의 유전자가 있는 사람이기 때
문인지도 모르겠다.

이 영화를 보면서 내 아버지를 떠 올렸다. 나의
아버지는 유약한 사람이었다. 분명 나에게도 아
버지와의 행복했던 추억이 있다.

그 추억은 초등학교 전후로 내 집에서 몇 정거장

떨어진 곳에 사는 친구 그 집에 놀러 갔다. 지금은 얼굴도 이름도 희미해진 친구다. 갈 때는 엄마가 데려다줬을 것이다. 놀다 보니 해는 이미 지고 사방이 컴컴해졌다. 아버지가 데리러 오신단다. 놀 만큼 놀았기에 그 친구의 집에서 한참 기다렸다. 그 소년처럼 아버지가 온다고 굳게 믿었다. 그 당시 아버지가 나에게 못 올 이유에 대한 의심의 여지는 없었다. 흑백 텔레비전에 얼굴을 푹 들이밀고 있을 즈음 아버지는 친구 집 밖에서 내 이름을 불렀다. 소심하게 아주 작은 소리로.

나는 내 이름을 부르는 아버지의 목소리를 찰떡같이 알아들었다. 하루 종일 놀았던 친구도 맛있는 간식을 챙겨준 친구의 엄마도 뒤로 한 채 어린 송아지가 신나 이리저리 뛰어 어미 소에게 달려가듯 아버지에게 달려 나갔다. 부녀의 상봉은 드라마처럼 애절한 상황을 연출해 내지는 않았지만 나를 데리러 온 아버지에게 반가운 마음만 들었다.

밖으로 나오니 조금은 매서운 바람이 온몸을 감싸던 기억이 난다. 그 시절엔 가로등도 그리 많지 않았고 밝지도 않았던 터라 나는 무서움이 들어 몸을 웅크렸다. 아버지는 조금은 거칠고 투박한 손으로 내 손을 잡고 그 친구 집이 있는 시장 골목을 뚜벅뚜벅 느리게 걸어 나왔다. 조금 걸어 나와 신호등 앞 건널목에 선 아버지는 냉큼 나를 당신의 넓지도 좁지도 않은 등에 업으셨다.

나는 걷지 않아도 되는 것이 좋았다. 편물 기계로 짠 짙은 베이지색의 투박한 외투에 커다란 지그재그 바둑판 모양이 얼굴에 살짝 배기는 듯했으나 털실의 따뜻함이 좋아서 아버지의 목을 내 팔로 끌어안고 혹시나 엉덩이를 감싸고 있는 아버지의 손이 풀어져 땅바닥으로 떨어지면 어쩌나 하는 조바심에 아버지의 등짝에 더 작은 몸을 밀착시켰다. 그리고 잠이 들었는지 다음 날 아침 눈을 뜨니 내 집이었다.

아버지와의 추억은 그저 깊이 박힌 단면 하나일 뿐이었다. 어린 시절만 해도 나는 아버지의 무한한 신뢰의 감정이 있었다고 생각하지 않았다. 그저 부모이기에 아버지기에 믿고 따랐고 아침에 나가서 해지는 저녁이면 언제든 볼 수 있는 그런 존재였다.

내 어린 시절 우리 삶의 경제력은 성장기였고 다들 먹고 살기가 넉넉지 않은 집들이 많았다. 우리 집 또한 예외는 아니니 말이다. 앞서 말했듯 아버지는 유약했다. 나의 유약. 이 개념은 경제 개념이 없고 그 나이대의 남자로의 건강치 못함과 가장으로서 변변치 못했다는 거다. 아무튼 아버지는 그러했다.

내 기억 속의 아버지는 나를 업던 그 아버지보다는 병원에 입원해 있고 마신 술을 감당치 못해 넘어져 발이 퉁퉁 부어 몇 날 며칠 방 한쪽을 차지하고 누워 있고는 했다. 직장 생활도 꾸준히 오래 못해서 이곳저곳으로 이적해 엄마의 속을 참 많이도 애끓게 했다. 그런 남편이 삼 남매의 아버지다 보니 오장 육부가 썩어 암이라는 병마가 찾아와 죽음이 올 때까지도 맘 편히 떠날 수 있었을까 싶다.

내 나이 열네 살 고등학교 입학 전이였다. 나는 학업과 살림도 하며 동생들을 돌보며 살아야 했다. 그 당시 아버지의 추억에 대한 기억은 그다지 없다. 나는 그냥 살아야 했으므로 그럼에도 한편으로 나의 유약한 아버지가 삼 남매 곁에 있다는 안도감이 달콤 쌉싸름한 추억이자 기억 너머 현실적인 생명의 줄이었다.

그러던 어느 해 동생들의 학교로 점심시간에 찾아와 국수 한 그릇씩을 사주었단다. 그냥 같이 먹고 싶었다고. 그리고 조금의 시간이 흐른 첫눈이 오는 날 나의 아버지는 나와 어린 동생들을 남겨 두고 떠나갔다. 내 나이 열아홉 살이었다. 나는 유약한 아버지라도 나의 곁에 있길 바라왔다.

나를 세상에 내어놓은 부모의 존재가 그렇게 사라지는 것을 결단코 알지 못했다. 그 누구도 부모가 한순간에 사라지는 것을 바라지도 일어나서도 안 되는 일로 생각하며 살아갈 것이다. 나는 무서웠다. 그나마 한쪽 있던 나의 날개 같은 아버지의 부재가 슬펐다.

그리움은 어디론가 사라졌다. 나는 살기에 바빴다. 어린 동생들 또한 슬픔이 뭔지, 그리움이 뭔지 모른 듯했다. 한편으론 표현하지 않고 아니 못하지 않았나 싶다. 그저 곁에 있던 아버지가 없구나! 라며 그렇게 살아내 온 거 같다. 슬픔도 덮고 그리움도 덮고 무서움도 덮어가며 나는 아버지의 죽음은 사고인 줄로만 알고 있었다.

그러던 어느 날 들려온 아버지의 죽음에 관한 말들에 나는 경악 했다. 그저 사고가 났던 그날도 술 한 잔으로 당신의 몸을 못 가누며 차선을 갈팡질팡하며 난 불운의 사고로 알고 있던 나는 엄

마 부재 그 3년 세월의 힘겨움에 스스로 생을 마
감한 듯 보인다니. 심히 놀라고 무섭고 심장의
울림이 내 몸과 밖에서 요동치는 걸 나는 간신히
부여잡았더랬다. 무서웠다.

나는 아버지의 사망 소식을 알았을 때 되려 놀랍
도록 덤덤했었다. 오로지 떠오르는 것들은 어린
동생들과 어찌 살아 나가나 하는 현실적인 생각
뿐이었다. 물론 자그마한 방에 아버지의 향기가
안전히 사라진 것은 아니었다. 스산한 공기의 무
거움에 긴 밤을 꼬박 새운 적도 있었으니까.

보고 싶은 마음이 왜 없었겠냐마는 나 또한 어린
동생들 앞에서 무슨 표현을 할 수 있었을까. 그
렇게 참으며 지냈는데 설령 그 말이 진실이 아니
라 하여도 어찌 그 어린 자식들을 이 세상에 두
고 당신의 그리움에, 당신의 서글픔에 떠나 버릴
수 있단 말인가. 나와 어린 동생들은 먼저 떠난
엄마가 안 그리웠을까. 그저 그나마 나와 동생들
곁에 있는 아버지가 그때의 그 시간만큼은 최고

최상의 버팀목이기에 잊으며 살았던 것은 아니었을까? 하는 생각이 든다. 그렇게 아버지의 부재는 진실의 건너편에 있다.

그 건너편에 다시 꽁꽁 싸매면서 나는 그리움 대신 떠나 버린 아버지에 대해 분노의 테트리스를 쌓아갔다. 왜 우리가 사랑한다는 표현을 못 했어도, 살갑게 애교를 부리지 못했어도 어찌 우리를 이 황망한 세상에 남겨 두고 떠날 생각이 들었을까. 설상 아버지 스스로 목숨을 던졌다면 살아남아 버티어야 할 나와 어린 동생들은 생각해 보지는 않았을까. 그래서 나는 밉다. 아버지가 참으로 미웠다. 그 미움이 점점 분노로 내 가슴에 자꾸 달라붙는 세월을 보냈다.

어느덧 아버지가 떠난 지 45주기다. 분노의 최고 꼭짓점은 조금은 수그러진 것 같다. 내 나이 마지막 생의 아버지 나이보다도 더 들었고 아버지의 빈자리가 젊은 청춘의 시절보다는 그리워지기 시작했다. 문득 어린 동생들과 버벅거리며 살았을 때의 시절, 아버지가 있었더라면 나와 어린 동생들의 삶은 바뀌었을까?

어느 날은 내 고약한 감정이 삐죽 나올 때면 분노의 물결이 마구 흘러내리다가 심장의 박동 소리가 점점 내 귀에 안 들릴 즈음엔 보고 싶은 마음에 그리움으로 가슴을 펑펑 내리치기도 한다. 그래도 말 예요. 아버지는 나와 어린 동생들을 버리지 말았어야 했어요. 표현은 안 했어도 우리는 깊이 아주 깊이 사랑을 담고 또 행복을 담을 수 있지 않았을까요. 그렇게 그렇게 긴 세월 서로 보듬으며 잘 살아왔을 테지요. 사고든 스스로 놓아버린 끈이든 그 진실은 이제 내게 중요치 않다. 다만, 나는 매일은 아니더라도 가끔은 내 아버지를 그리워하며 생각한다는 것이 진실이라고 말하고 싶다.

그래서였을까. [umbrella] 영화 속의 소년과 아버지가 나와 내 아버지의 유약함이 겹쳐 보이는 건 너무 아픈 묻어 두고 싶은 그리움의 조각이

다. 나처럼 분노치 못하는 그 소년의 애절함이 안쓰러웠다. 소년의 아버지는 나의 아버지처럼 자식을 떠날 때 어떤 심정이었을까? 물론 '잘 되리라 잘 살 거야'라는 단순한 해답만을 안고 떠났을까?

그렇게 어른의 생각으로 떠났을 때 분명 소년의 아버지도 나의 아버지도 아팠으리라 그리 생각하고 싶다. 어린 소년과 나와 어린 동생들은 모든 것을 불문하고 아버지를 그리워하고 기다리는 희망 고문을 하며 살아낸 것이다. 물론 나는 저 착하디착한 소년보다 현실적이고 못된 사람이라서 분노의 성냥 질을 하기도 했지만 말이다.

나는 소년의 아버지와 내 아버지를 보게 된다면 물어보고 싶다. 소년이 그립지 않았냐고 안 보고 싶었냐고. 내가 그립지 않았냐고 안 보고 싶었냐고. 그리고 소년의 아버지도 나의 아버지도 미워하지 않으려 노력해 보려 하겠다.

그리고 소년을 만나면 잘 살아왔다고 말해주고
싶다. 그리고 따스하게 안아주고 싶다. 어쩌면
이제 소년의 그리움과 내 그리움은 하나가 될 수
도 있을지도 모르겠다. 소년과 나를 위한 추억의
그리움 말이다.

모든 아픔도 내 몫이다.

그렇게 햇빛이 좋을 수가 없었다. 친구들과 삼삼 오오 걸어서 집으로 돌아오는 하굣길. 뭐가 그리도 재미나던지. 어린 초등학교 3학년생의 하굣길은 무엇이든지 매일 매일 신나 까르르거린다.

그즈음 나는 또래 친구들의 발걸음을 제대로 맞추어 걷지를 못했다. 나는 조금 무신경한 성격 때문인지 아니면 그냥 무던한 성격인지 친구들보다 조금 느리게 걸어도 잘 따라서 곧잘 걸었다. 경보라고 해야 하나? 그렇게 빠른 걸음으로 집에 도착했지만 나는 땀도 나지 않았고 몸도 힘들지 않았으며 심지어 다리도 아프지 않았다.

그날이다. 평소 무관심으로 대처하는 엄마가 물어보셨다. "너 다리는 왜 그러니?" "응? 내 다리 뭐? 모르겠는데" 나는 정말 몰랐고 내 걸음걸이가 이상하다는 것 또한 느끼지 못했다. 그저 얼마 전부터 나의 걸음이 느려졌다는 것 그것 또한 나는 별일 아닌 듯 걸어 다녔다.

지금에서 생각해 보면 참 나는 미련스러웠다. 은 연중에 마음 깊이 엄마의 존재를 무서워하는 아 이였기 때문이었을까? 그냥 내가 행동하는 것에 크게 문제 삼을 만한 일은 아니기에 그저 침묵 하였던 거 같다. 어쨌든 엄마의 눈에는 내가 절 름발이가 되어 있었다. 엄마는 걱정을 하는듯했 으나 얼굴엔 아무 표정이 없었다. 약간은 거친 듯한 목소리 톤과 안 하듯 하면서 해주는 게 엄 마의 본래 모습이었다.

엄마는 택시를 잡아 나를 태웠다. 그 시절 택시 를 탄다는 건 정말 큰일이 있어야만 탈 수 있었 다. 나를 택시에 태워 영등포 어느 거리에 있는 정형외과와 접골원을 겸하는 곳에 데려갔다.

조금은 케케묵은 곰팡내와 어두운 실내. 그 당시 에 병원 안에서 금연이었는지 아니었는지는 모 르겠지만 뿌연 연기로 둘러싸여 담배 냄새가 질 편하게 풍겨 내 숨을 끊어지게 하는 거 같았다. 앞머리가 대머리인 할아버지 의사 선생은 나를 좁고 기다란 침대에 눕혀 무릎 종아리 그리고 엉덩이 골반을 툭툭 건드리고 만지더니 "크게 이상 없어 보이는데 그래도 모르니 엑스레이나 좀 찍어 보든지." 어린 나는 '에구 저 할배 엉터리네.'라고 생각했다. 아마도 뼈가 크게 다치지 않아서 벌 수 있는 돈이 안 된다고 생각하는 거 같았다.

나는 어둑한 복도 골목을 걸어 방사선 과라고 찍힌 방에 들어갔다. 가만히 누워 엑스레이를 찍었다. 결과는 별반 다른 게 없었지만 그새 나는 절름발이가 되어 있었다. 엄마의 눈엔 분명 그랬다. 혹시 모른다며 엄마는 나의 왼쪽 다리에 허리 골반부터 발목까지 깁스해 달라고 했다.

아마도 엄마 눈에는 내가 병원에서는 나오지 않은 원인으로 그냥 집으로 갔다가 더 다리를 절기라도 할까 봐 걱정했다. 다른 사람들에게 다리 병신으로 불리는 게 두려웠을지도 모를 일이었다. 깁스를 해 달라고 했던 엄마는 나를 침대에

눕히고 팬티를 반쪽만 입혀 놓은 채 잠시 어디론가 사라지셨다. 아마도 급하게 병원으로 왔고 생각지도 않은 엑스레이에 깁스까지 했기에 급전을 구하러 나가신듯했다.

이런 표현이 지금도 황당하지만, 나는 반쪽 하의 실종으로 음흉스럽게 생긴 아저씨에게 나의 왼쪽 다리를 내맡긴 꼴이 되었다. 어린 나이지만 그때 참 모멸스러웠다. 그 창피함이란. 눈을 꼭 감고 내가 누워있는 곳을 하나하나 생각하며 머리로 느끼고 기억하려고 애썼다. 무서웠고 창피하고 엄마가 나를 버리듯 가버린 그 순간 원망이 가득해서 아마도 그래야만 했던 거 같다. 나는 그렇게 6개월 동안 깁스했고 당연히 학교는 결석이었다.

나의 다리로 미래의 내가 어찌 될지 모를 일이었다. 학교에 가지 않고 공부를 안 한다는 것만 빼면 참 심심했다. 항상 혼자 누워서 지냈으므로. 그때 마침 담임 선생님이 집으로 방문하셔서

선물로 주신 소공자, 소공녀 책 두 권이 나를 무료함에서 해방감을 주었다. 소공자, 소공녀로 상상이 나래를 펼치며 지내다 보니 깁스를 풀어야 할 6개월이 되었다.

깁스를 풀었다. 제대로 걸을 수 없었다. 물리 치료를 받아야 했건만 집안 형편상 매일 매일 병원을 오가며 물리 치료를 받을 수는 없었다. 커다란 빨간 고무 대야에 펄펄 끓인 물을 받아 다리부터 넣었다. 물로 다리를 마사지 해주었다. 그리고 무릎을 구부려 보라고 한다. 물리 치료사는 당연히 엄마다. 깁스했었던 동안에 뻑뻑해진 나의 왼쪽 다리는 억지로라도 무릎을 구부려 보라는 엄마의 단호한 말투와 성화에도 느리게 움직이기만 했다. 엄마는 내 무릎이 움직일 때까지 물을 끓이는 일을 쉬지 않았다. 여전히 엄마의 마음속에는 내가 다리 병신이 안 되기를 바라고 있었다. 이런 내 상황이 엄마에게는 큰 사건과 다를 바 없었다.

나는 엄마표 물리 치료를 받고 걸었지만 조금 얇아진 다리를 가지게 되었고 짧은 시간 동안 다리의 근육 부족으로 목발과도 친해지게 되었다. 그렇게 걷고 걷다 보니 걷는 것이 크게 이상하게 느껴지지 않았다. 나의 눈엔 신체 감각이 그렇게 느끼고 있을 뿐이다.

그러나 엄마의 눈엔 미세하게 짧아진 다리 길이와 절룩거리는 걸음새가 보였기에 때로는 무심하게 신경질적으로 언성을 높이며 잔소리를 해 대셨다. 다소 짧아진 다리로 살짝 기울어진 어깨를 반대편으로 펴듯 세우며 걸으라든지, 깁스 시에 왼쪽 발목이 바깥쪽으로 돌아가서 팔자걸음이 된 걸 본 후는 발을 일자로 똑바로 하고 걸으라든지 (그때 엄마가 없어서 그 음흉한 아저씨가 내 발목을 소중히 여기지 않아서 발목이 그래! 속으로만 외치고 있었다) 또 신경 써서 발을 일자로 내어 걸으면 이상하게 골반이 틀어져 버려 오른쪽 엉덩이가 튀어나오나 보다. 그러면 엄마의 내 던지는 소리가 또 들린다. 어깨 펴고 허리 펴고 엉

덩이 들이밀고 천천히 걷지 말고 조금 빠르게 그
렇게 매번 언성을 높이다가 언젠가부터 그 소리
도 줄어들었다. 아마도 엄마는 딸의 다리가 병신
이구나! 하고 단념한 듯했다. 그렇게 엄마의 단
념과 동시에 나는 내 몸의 불편함이 생활하는 데
있어 많이 어렵지 않았고 다른 비장애 일반인들
과의 마찰도 없이 무던히 지내 왔다.

걷고 뛰는 것에 지장이 없었고 나는 그 옛날 엄
마의 걱정과 대놓은 잔소리가 무색할 만큼 운동
도 제법 했다. 아주 이따금 사진 찍을 일이 생겨
나의 전신을 보았을 때 내 몸 균형이 밸런스가
안 맞는 걸 알게 되었다. 가끔은 지인들이 말한
다. "골반이 많이 틀어졌네." 그러면 허리를 다
시 꼿꼿하게 펴고 걸어 보려 했다. 그렇게 나는
억지로 내 몸을 의식 않고 잊으며 살아왔다.

40대 초반이었다. 나는 다리의 원인을 알게 되는
사건이 있었다. 여름 시즌에 정신없는 주말을 보
내던 중 옆 직원의 실수로 박스가 우르르 넘어지

는 걸 보고 피하다 허리를 삐끗했다. 그날은 병원 갈 시간적 여유도 없어서 파스 하나 사서 붙이고 주말을 보냈다. 그 시절 나는 목숨 걸듯 일에 빠지던 때였고 허리의 아픔은 별거 아니라고 치부했으나 월요일에는 꼼짝할 수가 없었다. 이리도 저리도 움직일 수 없는 허리통증으로 눈물을 한 바가지나 쏟아내고 나서야 병원으로 갔다. 엑스레이를 찍는데 그 옛날 찍던 대로가 아닌 앞뒤 엉덩이 이쪽저쪽 그리고 고관절 등 여러 군데를 찍었다.

그리고 난 후 의사 선생님의 면담에서 나는 많이 당황했다. 허리야 삐끗했으니 주사 맞고 약 처방으로 된다지만 나의 다리는 어릴 적 그 절름거리가 되었을 때 수술도 가능했다는 거였다. 의사 선생님은 왜 그냥 뒀지? 라며 갸우뚱하시더니 어떤 속 시원한 답변도 없이 허리 환자로 왔으니 그렇게 구렁이 담 넘듯 넘어가는 분위기가 됐다.

설령, 수술을 시도해서 나의 다리가 온전히 정상

적으로 돌아온다 해도 당시 수술할 시간도, 금전
적인 여유도 없었다. 생활하는데 크게 불편함이
없었기에 스스로 크게 문제 삼지 않았다.

그렇게 세월이 흐른 50대, 우울증으로 인해 나는
25킬로의 살이 찌면서 여기저기가 아프기 시작
했다. 왼쪽 엉덩이 부분은 가끔 칼로 그어내는
것처럼 사각거림을 느끼고 불어난 체중으로 인해
나의 무릎은 고통을 호소하고 있었다.

다시 병원을 찾은 나는 왼쪽 다리에 대해 정확한
진단을 받았다. 바이러스로 인한 후천적 유전이
며 수술은 가능했으나 지금 현 상태는 안 하는
것이 더 낫다는 결과가 나왔다. 수술 후 넘어지
거나 사고에 의해서 더 다칠 수 있으며 걷지 못
하는 상황이 올 수 있다는 결론이었다.

나는 담담했다. 문득 후천적 유전이란 말에 생각
이 하나 떠 올랐다. 친할아버지도 다리가 편치
않으셨다. 이유 없이 절고 다니셨다. 희미한 기

억의 조각 퍼즐을 맞추어 보자면 친할아버지는 넘어지신 후로 다리를 더 못 쓰시고 누워 계시다 돌아가셨다. 그 옛날 깁스했던 나를 방 한쪽에 덩그러니 눕혀 놓은 채 엄마는 아무 죄도 없는 아버지를 향해 "하다 하다 손녀딸한테 물려 줄 게 없어서 당신 앓고 있는 다리 병신 병까지 물려주냐!"고 깊은 한숨 섞인 말을 쏟아내었다.

아마도 아버지의 형제들은 친할아버지의 다리 절음의 병명을 알고들 있었기에 내색도 못 하고 그런 상태가 된 딸이 불쌍하기도 하고 하필 당신의 딸에게 이런 병고를 주는지 엄마는 얼마나 애통하고 원망했을까 싶다. 이제 와 누구를 원망하고 탓하겠는가. 50년의 중반을 이렇게 살아왔는데 살아오는 세상이 힘들었더라도 내 신체 일부분의 불편함으로 내가 힘들었던가 싶은 생각이 들었다.

그래도 나는 그동안 건강히 살아왔고 지금 다만 내 몸의 체중이 불어나 무릎과 엉덩이 그리고 허리까지 아파 걷는 것이 더 힘들지만, 나는 고민에 빠지지 않기로 했다. 내게 친구 하자며 다가왔던 우울증은 이겨내려 했고 또 설령 슬며시 내게 달라붙어도 잘 떼어낼 마음의 힘이 생겨나고 있기 때문이다.

내 체중이 불어 아프고 힘이 드는 것도 어찌 보면 내가 만든 결과임에 후회가 밀려도 어찌하랴. 예전의 나는 보기 좋은 체형이었고 다른 이들과 별반 없이 잘 걸었고 운동도 잘했다. 체형이 조금 틀어졌다 해서 결코 창피하다고 생각하지 않았던가. 아니다. 솔직히 조금은 창피했다.

나의 잘못도 아닌데 내 잘못인 듯 괜스레 얼굴이 붉어지고 나의 몸은 경직되기도 했으니 말이다. 나는 요즘 생각한다. 나보다 더 불편하고 사지가 없는 사람도 웃으며 세상을 단단하게 살아가고 있는데 나는 절름거리고 체중이 늘었다고 버거워하는 자신이 얼마나 뻔뻔함으로 가득한지를. 그리고 소소한 행복들을 모르는 체했던 것은 아니지 않았나 말이다.

나는 다시 운동을 시작하려고 한다. 물론 걸으면 엉덩이도 무릎도 아플 수 있을 테지만 천천히 조금씩 움직여 보려 한다. 가끔은 누구든 나의 뒤뚱함을 보고 궁금해하고 또 물어볼 것이다. 이제는 창피해하지 않을 거다. 상대가 들어 준다면 내 상태를 차분히 말해 주려 한다. 이제 죽는 날까지 짧아 절룩거리며 걸어가야 할 내 다리는 나의 동반자인 것을. 모든 아픔은 내 몫이다.

빵의 빵빵하게 빵빵한 하루

나는 매일 새롭게 만들어지는 빵이랍니다. 물론 나를 만들어 주는 주인님은 매일 새로운 이름도 지어 준답니다. 나는 매일 어떤 이름으로 탄생될지 많이 기대하며 기다립니다.

오늘 아침도 빵 굽는 냄새에 마냥 황홀하기만 했죠. 어떤 빵으로 새로이 태어날까요? 주인님은 달걀을 열 개도 넘게 깨뜨려 풀었어요. 하얀 우유와 뽀얀 속살을 떠올리는 밀가루, 달콤한 설탕 그리고 한 꼬집의 소금, 작은 찻잔 숟가락으로 이스트를 조금 넣고 반죽해서 따뜻하게 한쪽에 놓아두지요.

가슴이 두근두근 뛰어요. 시간이 되면 부풀어 오른 반죽을 동그란 통에 가득히 부어 미리 달아오르게 한 오븐에 잘 구워줍니다.

오늘의 내 이름은 쿠키 카스텔라라고 해요. 겉은 쿠키처럼 조금 바삭하고 속은 부드럽고 달싹하지요. 빵을 반으로 가르면 달걀노른자와 흰자가 골

고루 섞여 몽글몽글한 입자로 만들어진 탱탱한 빵 속살이 보여요. 나 쿠키 카스텔라는 하얀 우유랑 먹음 혀끝에 달달댐이 목구멍으로 부드럽게 넘어가면서 행복의 강물을 건넌답니다.

오늘 쿠키 카스텔라를 선택해 먹어준 핑크 리본 언니의 그 행복한 얼굴이 나는 잊혀 지지 않아요. 핑크 리본 언니에게 빵빵하게 빵빵한 행복이 되었답니다.

잠시 긴 어둠을 부지런히 걸어 와 보니 나는 다시 주인님 집에 와 있었어요. 오늘 나에게 주어진 이름은 크림빵이라 불립니다. 내 속살은 생크림과 설탕 버터를 휘휘 젓고 또 저어 부드럽지만 단단하게 만들어 위에 살과 아래 살 사이에 빽빽이 넣어 두툼히 펴 발라 주어야 진정 맛있는 크림빵이 된답니다.

크림빵은 오늘도 자신을 맞아줄 사람을 기다립니다. 오늘은 주인님 가게 앞을 쓸고 치우시는 맘

씨 착한 아저씨가 나를 데려가 주셨어요. 아저씨는 오늘 일이 많아 한 끼도 못 드셨대요. 그래서 크림빵을 허겁지겁 드셨어요. 그리고 달싹하고 향 좋은 카페라테 커피도 시원하게 쭉 들이키시고는 컥 하며 트림을 내셨어요. 크림빵은 아저씨가 급히 먹고 체하실까 봐 조마조마했거든요. 그런데 아저씨는 "아 배고픈데 맛있게 잘 먹었네" 하며 환히 웃으셨죠. 아 오늘도 나는 크림빵이 되어 역시 빵빵하게 빵빵한 하루를 보냈답니다.

이렇게 나는 매일 새로운 이름을 가진 욕심 없는 빵이랍니다. 아니요. 나는 사람들 마음이 많이 신경 쓰이는 욕심쟁이 빵이랍니다. 사람들이 웃으며 행복하게 나를 선택하면 빵빵하게도 행복해요. 사람들이 해주는 말 한마디에 항상 마음을 담아 귀 기울여 들으려고 해요. 사람들이 행복했으면 좋겠어요. 슬퍼하지 않았으면 좋겠어요.

그런대요. 사람은 행복해도 행복하다고 생각하지 못할 때가 많다고 해요. 그래서 사람들은 자꾸 슬프다고 생각해요. 내가 있어 배고픔이 없었으면 좋겠어요. 그리고 나와 사랑을 가득 나눴으면 좋겠어요. 사람들이 행복해하고 맛있게 먹어주면 나도 정말 행복하거든요.

나는 매일 매일이 새로운 생일이에요. 그래서 행복해요. 내가 매일 생일이라서 행복한 것처럼 사람들도 매일 생일이면 좋겠어요. 생일에는 누구나 행복하고 즐거운 날이니까요. 그리고 매일 어떤 일들이 생길까 하는 호기심이 생겨요. 그런데 하나도 무섭지 않아요. 나는 최선을 다해서 하루를 살면 빵빵하니까요. 사람들도 지치지 않고 겁내지 않고 열심히 살았으면 좋겠어요. 그런 사람들이 잠시 쉴 때 나를 선택해 준다면 정말 행복하답니다.

약도 먹어 본 사람이 챙긴다

엄마는 살아 있다면 지금 나이 여든세 살로 지극히 옛날 사람이다. 만약 지금도 살아 계신다면 깊은 고지식함과 보수적인 생각을 한 보따리는 싸매두고 사는 사람이었을 것이다. 참 표현이 없는 사람이어서 진정 엄마가 나를 사랑한 것인지 나를 딸로 아끼기는 했는지 알 수 없는 게 조금 아쉽다. 그런 엄마가 그래도 나를 생각 했구나 싶은 건 다름 아닌 당신의 방식으로 약이란 것을 챙겨 먹게 해 줬다는 건 잊지 못할 진실이다.

지금의 나는 참 푸짐해진 몸을 가진 사람이다. 그러나 나의 어린 시절은 마르고 잔병치레가 잊을만하면 생기는 그런 아이였다. 그렇다고 병원을 가본 기억이 그다지 없다. 왜인지는 모르겠다. 아마 엄마는 양방보다는 한방을 한방보다는 민간요법을 선호했던 거 같다. 단칸방에 옹기종기 사는 우리 집엔 가끔 중년의 남자 어른이 찾아오곤 했다. 그 남자분은 청량리 약재 시장 쪽의 위치한 한약방 의사라고 그랬다. 그분이 오시는 날이면 우리 집엔 동네 아주머니들이 시간 때

때로 오셨다. 그야말로 우리 집이 일일 한약방이 된 것이다. 엄마는 방문 입구 쪽에 앉아 연신 아주머니들을 반기고 쉴 새 없이 맞이하기에 바빴다. 그리고 긴 시간이 흐르고 아주머니들도 돌아가신 후 그 선생님의 관심은 나와 두 남동생에게로 쏟아졌다. 그리고 조금은 두툼하고 그다지 크지 않지만, 따스한 온도의 손가락을 내 손목에 가만히 갖다 대었다. 그리고 하얀 종이에 한자로 길게 나의 상태를 써 내려갔다. 그리고 두 동생도 똑같은 처방을 받음과 동시에 그분과 엄마는 우리 건강에 대한 묘책을 나누시곤 했다.

그리고 며칠 후 우리 집 아궁이에서는 손잡이가 길게 된 도자기 약탕기에 한약재가 폴폴 끓여지고 있었다. 가끔 그렇게 우리 집 아궁이는 한약을 끓이는 일을 잘하고 있었기에 온 집안이 한약의 그 묘한 냄새로 그득했다. 나와 동생들의 나이에 맞춰서 약탕기에서 끓여지는 것은 녹용이라고 했다. 비싼 녹용이라고 했다. 형편상 한꺼번에 녹용값을 갚지 못한다고 흘려들었다. 아마도 우리 집에 출장 오신 그 분에게 동네 아주머니들을 소개해서 약을 짓고 그 대가로 조금 싸게 그리고 매월 나눠서 갚는듯했다. 아마도 가전이나 이불, 냄비 같은 주방제품을 어느 집 한 곳에 주변 사람들을 모아 상품 설명하고 판매하고 그 소개비나 해당하는 물품을 받는 것이 유행이었는데 아마도 엄마는 가전이나 이불 뭐 그런 거 대신에 한약을 선택했던 거 같다. 어찌 그렇게 이어진 건지는 나도 동생들도 모르는 아이러니다. 엄마의 타고난 영업 방식이었을 거로 생각한다. 그 당시 엄마는 보따리 장사를 했고 파는 데는 최고였으니 아마도 엄마만의 비결로 우리에게 한약을 먹인 건 아닐는지.

그렇게 몇 날 며칠을 매시간 녹용을 먹었다. 녹용 맛이 그런 건지는 실상 지금도 모른다. 왜인지 그때 이후로 먹어 보지 못했으니까. 그때의 녹용 맛은 한약의 특유 향내는 나는데 맛은 뭐가 밍밍하다고나 할까. 원래 그런 거라고 먹기나 하라고 말을 하니 그런가 보다 하며 먹었고 지금도 그 맛이 그렇겠지, 그렇게 생각한다. 진짜 가짜 녹용에 대해 잘 모르니 그래도 우리 집의 경제 사정상 어떤 경우였든 엄마의 노력과 사랑은 분명히 있었으리라. 물론, 그 후론 녹용및 어떠한 한약을 먹어 본 적은 없었다.

녹용 복용 후 수년의 세월이 흐른 어느 날 몸도 좀 아파져 왔고 다리도 불편한 처지가 되었다. 그런 내게 엄마는 몸보신이라도 하라는 의미였을까. 붕어탕을 만들어 주었다. 커다란 솥에 붕어를 푹 고아 삼시 세끼 그것을 먹게 하였다. 엄마의 정성인데 나는 그 특유의 비린내와 국그릇에 떠 있는 누리끼리한 것도 같은 기름과 잔가시들 그리고 뭉치고 흩어진 살점들은 먹고 마시기엔 정말 곤욕이었다. 채반에 내려 먹을 수 좋게 해 줬다면 괜찮지 않았을까? 요새 같으면야 붕어탕 같은 것은 건강원에서 쉽게 팩으로 만들지 않는가. 그러나 내 엄마는 옛날 사람인지라 그런 것쯤은 집에서 당신의 손에 푹 고아 먹어야 효험이 있다고 생각했을 터이다. 그걸 고아 내는 그 시

간이 힘들었겠지만 그래도 당신의 딸에게 먹여
조금은 덜 아플 거라는 어떤 믿음이 있었을 거
다. 그러나 나는 불효녀다. 그 붕어탕을 먹는 그
시간만큼은 분명 나는 그랬다. 삼시 세끼에 먹는
그 붕어탕이 약이기라기보다 사약을 받는 기분이
었다. 먹을 때마다 엄마는 이 딸이 그 붕어탕을
잘 먹나 감시의 눈총을 매의 시선으로 쏘아 보냈
지만 그래도 어쨌든 꾸역꾸역 먹어대는 나의 모
습에 당신의 만족감과 흐뭇함에 감시가 느슨해졌
다.

나는 나름 눈치가 빠른지라 엄마의 지켜보는 눈
이 다른 곳으로 시선을 옮길 때 나는 실행 하기
로 했다. 붕어탕을 먹은 것처럼 만들겠다고. 나
의 의기충천한 계획은 이랬다. 1. 미리 까만 비
닐봉지를 준비해서 안 보이는 곳에 잘 꽂아둔다.
2. 그리고 엄마가 안 볼 때 잽싸게 봉지를 꺼내
붕어탕을 봉지에 쏟아붓는다. 3. 국그릇을 너무
깨끗이 하면 엄마가 눈치챌지 모르니 국그릇에
국물과 살점 그리고 가시를 조금은 남겨둬야 한

다. 이렇게 세운 계획은 붕어탕을 다 먹는 그날까지 엄마의 시선 속에 치열하게 성공했고 그 시간 매번 내 심장은 터질 거 같이 두근거렸으며 엄마의 시선을 따라 움직이는 내 눈알은 힘을 주느라 머리도 살짝 아파져 왔다. 나의 처음이자 마지막 반항은 그렇게 철없는 행동으로 끝났지만, 엄마는 당신이 열심히 정성으로 고아준 붕어탕을 딸내미가 잘 먹고 건강해졌다고 얼마나 흐뭇해졌을까.

내 나이 마흔두 살 때 나는 이유 없이 쓰러졌다. 그 마흔두 살의 나이에 엄마가 돌아가셨기에 내가 쓰러진 것에 나도 너무 놀란 날들이었다. 나도 엄마처럼 이 나이에 죽는 건가 하는 불안감이 그 당시에는 이루 말할 수 없었다. 지금 오십의 중반이었다면 죽음이란걸 스스럼없이 받아들였을 테지만 말이다. 그렇게 쓰러져 병원에서 입원해 있는 보름 동안 온갖 검사는 다 했지만, 별다른 병명도 없이 면역력 결핍, 호르몬 수치 변화 그리고 호흡기가 다른 이들에 비해 약하다는 처방만 받은 채 일상으로의 생활로 돌아왔다. 내게 변화가 있다면 사는 동안 건강히 살자는 생각이 들었다. 그래 죽을 때까지 내 몸 내가 챙기자. 이런 생각들을 가지면서 운동과 생활의 변화를 꾀하는 것이 아니라 어처구니없게도 나는 건강식품과 약에 의존하게 됐다. 귀도 얇은지라 남들이 뭐가 어디에 좋다고 하는 그 말에 홀려 이런저런 약병들이 하나둘씩 생겨 넘쳐서 약만을 위한 서랍마저 마련했지만 웬걸 나는 이날 이제껏 별도로 보조식품, 건강식품을 스스로 챙겨 먹는 스타일은 아니었다. 생각나면 한 알 시간 지나면 한번 먹어 볼까? 하니 건강은 둘째치고 사재기하듯 사 모은 약들은 소비기한이 훌쩍 넘기기 일쑤였다. 그러면 왜 다 챙겨 먹지 못했지 하는 스스로 구박과 반성을 하며 다시는 안 사리라 또는 있는 건 잘 챙겨 먹으리라 하며 처분과 다짐을 하곤 한다. 그러나 시간이 흐르면 또다시 내 건강을 위한 거야 하며 이것도 먹어야 할 것 같고 저것도 몸에 좋을 거 같다는 핑계 삼아 또 약 서랍장을 채우기 일쑤다. 매시간 챙겨서 먹어야 할 약들이 익숙지 않은 나는 텔레비전 건강 프로에 나오는 이들이 매일 한 움큼씩 챙겨 먹는 모습을 보면 참 대단하다고 느낀다. 약도 부지런해야 챙겨 먹을 수 있고 먹어서 내 몸의 변화를 느껴본 사람만이 할 수 있는 일인 듯하다. 요즘 부쩍 컨디션이 안 좋다. 이런 나와 약이랑 조금은 친해져야 하는 거 아닌가 하는 생각이 조금씩 스며든다. 약이 서랍에서 내 손길을 기다려 주고 있다. 그리고 이리 말하는듯하다. 야! 너도 잘 챙겨 먹을 수 있어.

독서와 책장 채우기가 취미라고?

무엇을 잘하세요? 하고 묻는다면 과연 나는 무엇을 잘 한다고 말할 것인가 생각해 보니 뭘 특별히 잘하는데, 있는 건지 없는 건지 나도 헷갈린다. 취미란 전문적으로 하는 일이 아니라 즐기기 위하여야 하는 일(어학사전 참조) 그러니 직업적인 것이 아니고 재미로 즐겨 하는 일이라는 거다. 어린 시절부터 나를 신문하듯 너의 취미는 무엇이냐? 고 물어 오면 나는 한 치의 망설임도 없이 독서라고 했다. 그렇다고 내가 독서를 즐겼는지도 돌이켜서 생각해 본다면 절대 노! 라는 거다. 이게 내 취미야 하고 말할 줄 아는 것이 없었고 무엇인가를 한다는 아니 하고 싶다는 여건도 안 되었던지라 그저 어린 초등학생 시절부터 별 의미 없이 독서라고 했던 거다. 어찌 보면 그게 제일 만만히 대답하고 뭔가 좀 있어 보이는 것 같기도 해서이다. 나의 취미에 관한 그 즐거움은 어른이 되어서도 찾지를 못하고 즐기지도 못하는 생활의 패턴은 참으로 오래갔다.

독서라고 말한 그 취미는 나이가 조금씩 들어가면서 취미 아닌 취미로 조금씩 읽어 보고 싶은 책을 조금씩 한 해에 10여 권도 될까 말까 할 정도로 읽는 정도였으니 가끔은 누군가 책 읽는 나의 모습을 보며 참 교양 있는 취미를 가지고 있구나 하고 바라봐 주기를 또 슬쩍 말도 툭 뱉어 주기를 바라고는 했다. 참 지지리 못났기도 했지. 남들은 당연히 읽고, 독서일지도 쓰고 누군가는 독서 토론도 한다고 하는 그것들을 나는 남들 안 하는 것을 나만 오롯이 하는 착각에 빠져 스스로 우월 되는 못난 모습이라니.

돌이켜 보건대 나는 독서보다 책을 좋아하는 사람이었다. 나의 어린 시절엔 동화책 하나 제대로 사서 읽을 형편이 안 되어서인지 다른 친구들이 학교에 전래동화라든지 명작동화 그리고 어린이 잡지를 갖고 와서 보면 별 관심 없는 척하며 이리저리 눈동자를 돌리면서 글자는 못 읽어도 책에 나온 그림이라도 그림의 색상이라도 보려고 애를 쓰곤 했다. 그래도 나는 집에서는 절대 어떤 책을 읽고 싶으니 사 달라는 말을 해본 적이 없다.

그러던 내게 책이 생겼다. 처음 내게 책이 생긴 그 순간을 나는 잊지 못한다. 초등학교 3학년 나는 알 수 없는 원인으로 다리에 깁스했고 반년 이상 학교에 나가지 못했다. 학교를 안 간다는 것만 나는 좋았지만, 그런 하루하루가 지겨워질 때쯤 담임 선생님이 병문안 겸 집에 오셨다. 지금도 희미하게 떠 오르는 선생님의 환히 웃으시는 모습과 그 성함은 잊지 않고 한 번씩 떠 오른다. 노란 서류, 봉투에서 꺼내주신 나만의 책. 소공자 소공녀 그 두 책이 나의 첫 책이다. 집에 깁스하고 누워 있는 동안 그리고 다시 학교를 나가고 학년이 올라가서도 나는 그 책을 두 남동생이 만지지도 못하게 깊숙이 감춰 두면서 읽고 또 읽어 가는 세월만큼 그 책도 헤지고 닳았다. 많은 세월이 흘러서 소중히 간직해야지 하는 그 처음의 마음과 달리 이사 과정에 분실되었지만, 나는 그 책을 아주 좋아했으며 또 책을 읽는 게 어떤 느낌인지는 알았다.

내게 책을 살 수 있고 또 읽을 수 있는 여유가 생겼을 때 감히 취미가 독서인 듯 보이는 뻔뻔함이 나타나는 듯한 때쯤 나는 책을 사서 책장에 꽂아두는 이상한 취미가 생겨 버렸다. 어린 시절 책 한 번 못 사본 한이 내 몸에 휘감긴 것처럼 서점으로 달려가 언젠가는 읽을 거라는 암시를 스스로에게 뇌에 각인하면서 어떤 내용인지도 모른 체 풍문에 서평이 좋다 라는 이야기에 얕은 지식을 가동하며 작가를 기억하고 마구잡이식의 책을 구매하곤 했다. 그렇게 사들이고 책장에 조금씩 쌓여가는 책을 열심히 읽었냐고? 나는 맞다! 라고도 아니다! 라고도 대답을 못하겠다. 분명히 나는 읽기도 했고 또 틈틈이 책장을 채우고 또 비우기도 하긴 했으니까.

여전히 가끔 책을 사들이는 나에게 취미가 독서냐고 묻는다면 나는 망설이지 않으려나. 아니면 나는 독서가 취미랍니다. 라고 말하려나? 그도 아니면 책을 좋아해서 책장을 채우는 게 취미랍니다. 라고 말하려나? 누구는 책을 일주일에 세 시간씩은 읽어야 하며 뇌에도 좋다고 하지만 나는 책을 취미로 즐겨 읽는 사람도 또 뇌 건강을 생각하는 쪽도 아닌 것만은 맞지 싶다. 내가 책을 구매하는 이유는 대여 기간에 다 읽을 재주가 없다는 걸 스스로 알기 때문이라는 반전이 있는 것뿐이다. 나는 긴 시간이어도 읽고 싶은 책은 읽으며 또 미리 읽어야지 하며 세뇌하듯 책 구매도 할 것이다.

이쁘게 입으면 좋지 뭐

나이가 1월생이라 보니 나는 7살 때 초등학교를 입학했다. 지금이야 제 나이에 입학하지만, 그 시절엔 2월생까지는 입학을 하는 때였다. 그때도 나는 다른 또래 친구들보다 한 뼘쯤 키가 컸다. 선천적인 발육 상태가 좋았던지 입은 옷이 거의 짤막하곤 했지만, 그 어중간한 차림새에 좋은지 나쁜지도 모르고 입으라고 주면 입는 처지인 셈이였다. 내 성향과는 무관한 (뭐 그 당시에 내가 원하는 스타일이 있나 했을까마는) 그런 옷차림이지만 나뿐 아니라 다른 친구들도 다 거기서 거기인 차림새인지라 개의치 않았다는 것이 서로에게 부끄럽거나 웃긴 일은 아니었다.

그런 내게 아주 이쁜 옷 한 벌이 생겼다. 초등학교 입학한다고 엄마가 옷을 맞추어 준 것이다. 번갈아 들어간 바둑판무늬의 세미 나팔 건빵 바지와 같은 문양의 허리가 살짝 들어간 롱코트였다. 그리고 검은색 슬립온의 에나멜 구두도 생겼다. 나는 입학식날 하얀 목 폴라에 멜빵 바지를 입고 그 위에 코트를 입었다. 그리고 새 신발이지만 아빠는 부드러운 하얀 천으로 광을 내듯이 닦아 에나멜 구두를 내어 신겨주었다. 그리고 나는 빨간 머리 앤처럼 양 갈래의 땋은 머리를 하고 그 당시 입학식 때 제일 중요한 것 왼쪽 가슴에 하얀 손수건을 핀으로 꽂고 조금은 차가운 엄마 손을 잡고 당당히 운동장에 들어서서 텔레비전에서 귀동냥으로 들었던 애국가도 목청껏 부르고 반 배정에 담임 선생님도 만나고 그렇게 입학식을 마친 후에 같이 입학한 동네 친구 두어 명과 엄마와 기념사진을 찍었다. 그때 다른 친구들보다 아주 좀 예쁘게 입었다는 것을 나도 아는지라 허리 꼿꼿이 펴고 고개를 바싹 세우며 찍은 그때의 내가 지금 생각해도 귀여웠군 싶다.

나이를 막론하고 예쁘다는 것에서 나오는 당당함의 감정은 어쩔 수 없는 진리인 듯하다. 일주일 동안 나는 운동장에서 하는 입학생 야외 수업을 그 차림새로 다녔다. 그리고 그 옷은 큰 집의 장손이 결혼한다고 했을 때 입었다. 모직과 혼합된 약간은 두툼한 원단으로 지어진 외투여서 (그나마 계절과도 맞아서) 한 번 더 입은 후 나에게 별다른 행사가 없었기에 그 옷은 입을 기회가 없었고 그 옷의 행방은 지금도 묘연하다. 나는 방학식 이후로 예쁜 옷에 대한 갈망이 있었던 거 같다. 그러나 현실은 콩쥐로 돌아왔으니 그 마음이 깊은 나의 내면에 꾹꾹 눌러 표출치 못했을 뿐이라고만 나에게 최면을 걸어두면 살아왔다.

지금은 모든 중, 고교 학생들이 교복을 입지만 내가 중학생인 그때에는 두발 자율화(단발과 커트 둘 중 하나)와 교복 자율화가 시행되는 때였다. 중학교 1, 2학년 시절은 교복을 입으면서 머리를 조금씩 머리를 기를 수 있었고 3학년이 되면서 교복을 벗어 버리고 편한 복장으로 다녔다. 어느 순간 교복 자율화가 선진국의 교육화를 따라 하는 거라 하지만 시행하는 순간 빈부의 차는 어쩔 수 없었던 거 같다. 나 또한 빈과 부의 그 어느 중간쯤의 격차에서 조금 쪼그라들었던 시절이었다. 교복을 벗어 버리고 사복을 입고 학교를 가야 하건만 생각보다 나는 옷이 없었다. 그래도 다행히 엄마는 나를 데리고 평화 시장으로 갔다. 버스를 타고 시장으로 가는 내내 나는 설렜건만 그런 나의 마음은 순간 무너져 버리고 말았다. 바글바글 여기저기 쏟아내는 말들 좁은 길게 늘어진 어둡고 습한 듯한 건물 층층 마다 많은 사람들로 북적이고 그런 많은 사람이 있는 곳의 정신없음을 처음 겪는 나는 그래도 믿을 구석은 엄마밖에 없으니 그저 열심히 따라다니기만 했다. 그 순간은 예쁜 옷이고 나한테 어울리고 맞는 옷이 어떤 것 인지의 관심의 눈길조차 둘 수 없었다. 그런 어수선함이 당연한 듯한 상황 속에서도 엄마는 연신 나한테 어울릴 거 같은 옷들을 주섬주섬 챙기었건만 그게 맞는 건지 어울리는 건지 디자인이 나은 건지 그런 건 생각할 필요도 없는 쇼핑 시간이었다. 엄마는 예쁘고 나한테 어울리는 것이 아닌 싸고 실용적으로 일주일 동안 몇 벌의 여벌로 입을 수 있는 것이면 족한 것뿐이었다. 나를 데리고 간 건 그 옷이 나한테 맞는 치수를 재보기 위함과 몇 벌의 옷이 몇 년을 입을 수 있나 하는 바람이 있었을 뿐이다. 그렇게 몇 번의 내 혼이 들어갔다 나갔다 하다 보니 내 손에는 커다란 옷 장수들의 비닐봉지가 들어 있었고 거기엔 엄마만의 특유의 감각이 깃든 몇 벌의 옷이 들어 있었다.

집으로 돌아온 후 엄마 앞에서 사 온 옷들을 모두 입어 보았지만 그렇게 내 몸에 옷을 대어보고 엄마 나름의 신중함으로 골랐건만 어떤 옷은 맞았고 어떤 옷은 디자인이 고루했고 어떤 옷은 꽉 끼어 불편했다. 어린 시절에야 작아진 옷이 끼이거나 불편한 옷이라도 잘 입었겠지만서도 나는 키가 자라고 체형이 커져 가면서 그런 옷들이 불편했다. 그런 불편함에 어른이 된 나는 체형이 드러나는 듯한 옷보다는 헐렁한 옷을 선호하는 편이다. 그렇게 나의 마음은 중요치 않은 채 새 학년이 되면서 사복을 입고 등교를 하였는데 이미 사복에 대한 경제의 사회적 흐름은 정말 놀라웠다. 아이들은 형형색색의 옷들과 이름도 모를 브랜드의 신발과 가방으로 치장되어 나타났다. 그 속에서 나는 우리 집의 형편을 알기에 기가 죽지 않은 척했고 그냥 그런 엄마가 골라준 그 옷에 대단히 만족한 듯 입고 다녔다. 한편으로는 예쁜 옷들을 어떻게 입으면 돋보이고 나중에 이런 옷들을 사면 이렇게 입어야지 혼자만의 상상 했지만, 결코 겉으로는 내색지 않았다.

지금 2024년 나는 비교적 옷이 많다. 아마 내 주변인들보다 많지 않을까 싶다. 가끔 지인들이 집에 와서 옷방을 보면 놀랄 정도니, 옷이 많은 건 맞는 거 같다. 그 시절의 보상이라도 받고 싶은 심리도 있던 터였다. 사실상 구매도 많이 했지만 누가 옷을 나눠준다고 하면 절대 사양은 없었다. 일단 받아 둔다. 편한 시간에 하나씩 꺼내어 입어 보는 시간을 거친 후 내가 입을 것과 또다시 나눔이라든가 아니면 재활용으로 보내든지 한다. 옷에 치여 죽겠다는 말이 어찌 보면 나한테 하는 말일듯하다. 10여 년 전 옷을 버리지 못하고 있다. 급작스레 찐 살로 인해 그때의 옷을 입지 못하건만, 예쁘고 편한 디자인의 옷들이라서 언제가 다시 입을 수 있지 않을까? 하며 스스로 헛됨 같은 망상에 빠져서 정리를 못 하는 것이 본심이다. 그러면서 또 생각해 본다. 아무리 고급스럽고 유명 디자인의 옷이라도 내가 불편해서 못 입으면 그것은 옷이 아니라 한낱 천 쪼가리일 뿐이라고. 추우나 더우나 정장을 입고 다닌 적도 어느 날은 치마에 꽂혀서 남들이 흔히들 말하는 무다리를 드러내 놓고 다녀도 봤고 반바지에 민소매를 입고 더운 여름을 보내기도 했으니 그런대로 입고 싶었던 것은 해본 거 아닌가 싶다. 그럼에도 나에게 제일 어울렸던 차림은 몸매가 드러나지 않는 아무 문양 없는 티셔츠에 청바지임을 인정한다. 다시 그 차림새를 간절히 소망한다. 나의 살이 빠지는 날이 온다면 꼭 그렇게 입고 사진을 찍을 것이다. 그날이 올까요?

수영을 배우고 싶다.

처음 바다를 접하였을 때는 11살 그때쯤인 듯하다. 엄마에게는 언니 한 분이 있었는데 사는 곳이 강원도 삼척이었다. 얼굴도 희미하고 이젠 기억의 잔상도 없는 이모의 집을 여름방학에 엄마가 남동생들과 함께 데리고 갔다. 서울에 사는 우리를 이모는 당신의 아들딸들과 바다로 데리고 갔다. 넓은 모래사장을 뒤덮을 듯이 한 번씩 위로 치솟는 파도가 무서워서 그 바닷속에 발도 들여 놓지 못한 채 한쪽 귀퉁이에 꼬맹이들이 제법 놀만한 물웅덩이로 거침없이 달려 나갔다. 수영복을 입었는지 아닌지는 확연한 기억은 없지만 노란 튜브를 팔에 둘러 물웅덩이로 향했음은 기억난다. 튜브에 몸을 끼운 채 수영은 할 수 있는 공간은 아니지만 튜브 가운데 부분에 엉덩이를 끼우고 앉아 물장구를 칠 정도는 됐다. 작은 웅덩이지만 나에게는 바다의 일부분이었다. 무서웠지만 엉덩이와 발바닥에 찰랑거리는 물의 차가운 감각이 싫지 않고 좋았더랬다. 그 기분이 너무 좋았던지라 튜브에서 벗어나 그냥 몸을 바닷물에 잠기고 싶어서 튜브 양쪽을 잡고 일어서는 찰라

버둥거렸다. 소위 시쳇말로 접싯물에 코 빠트린다고 나는 바다 물웅덩이에 정말 거꾸로 머리부터 박고 말았다. 입으로 코로 물이 들어가는지라 숨이 멈추는 거 같았다. 깊은 물 안에 빠진 듯 허우적거리니 손과 발이 그곳의 바닥에 닿는지라 곧바로 일어서니 얼마나 뻘쭘하던지. 나는 별일 없다는 듯 웅덩이 곁에 엉덩이를 깔고 발만 들려 놓은 채 물장구만 치다 돌아왔다. 결코 물웅덩이에 빠져 허우적거리다가 살아났다는 허무한 이야기는 엄마에게는 비밀로 하기로 다짐하면서 말이다. 분명 말했다면 걱정의 말보다 등짝을 한 대 맞았을지도 모를 테니까. "조심하지 않고 칠칠하지 못하게" 바다를 처음 본 나의 경험은 물에 빠져 살아남과 물이 무섭다는 비밀을 간직한 채 바다로의 어떤 설렘도 가질 수 없었다.

27살. 여전히 나는 물이 무서웠다. 목욕탕에 찬, 온탕을 왔다 갔다 할 때도 나는 여전히 조심스러워한다. 거기서도 고꾸라지면 어쩌나 하는 불안 심리가 나를 더욱 조여들게 만드는 것 같았다.

직장 후배가 한강 야외 수영장을 가자고 했다. 거절의 이유를(수영장이니 당연히 수영할 줄 알아야 한다는 고정관념) 못 찾은지라 가지고 했다. 그나마 수영복은 있었다. 백화점 세일 때 그냥 싸서 예뻐서 산 수영복을 입을 기회가 생겨서 다행이기는 했다. 그 후배는 곧잘 수영할 줄 아는 모양새였다. 수영장 물 깊이는 바닥에 까치발을 두고 물이 가슴 조금 아래까지여서 나는 한 발씩 걸었다. 여유롭게 수영장 이쪽에서 저쪽으로 걷기를 왕복하며 수영하는 후배를 곁눈질 하면서 내심 '나도 수영 하고 싶다'라며 부러움을 삭혔다. 그러나 그건 희망 사항일 뿐 수영을 배운다는 건 여전히 내게는 어려운 무서움을 타파할 대상이었다.

30대가 지나가고 사십 대 중반 늦바람이 생겨버렸다. 6월의 어느 날 절친 동생이 아이들을 데리고 캐리비안 베이를 간다고 같이 가지고 했다. 워터파크란다. 처음 가보는 곳이라 많이 궁금 하기도하고 같이 가지고 했다. 용인에 자리한 그곳을 가기 위해 새벽부터 서둘렀지만 하나도 피곤치 않았다. 새벽잠이 많은 나지만 그냥 물에서 놀 수 있다는 것이 어떤 것일지 부쩍 궁금한 사십 대 어른일 뿐이었다. 도착한 나는 신기 했다. 인공 파도 풀, 다이빙 풀, 물을 이용한 많은 놀이 기구는 하나도 빠짐없이 다 타고 놀았다. 거기에 안전 의무로 구명조끼를 입으니, 물에 빠질 염려도 놓을 수 있다는 것도 한몫했다.

첫 워터파크의 경험은 시간이 지나 갑자기 날씨가 흐려지고 비가 내리기 시작해서 실내로 피신하면서 급히 마무리되었지만, 나는 신세계의 즐거움을 그리워했다. 그리고 나는 그 동생의 도움을 받아 워터파크를 저렴하게 이용할 수 있는 정보를 받았고 혼자 가기 두려움에 주변의 지인들을 꾀기 시작했다. 여름이니까, 더우니까, 싸니까, 셔틀 리무진이 있으니까, 모래도 없어서 깔끔하니까, 구명조끼를 착용해서 안전하니까, 수영하지 못해도 괜찮다니까, 그리고 인공 파도 풀의 안전요원이 잘생겼다니까 몇몇 가지의 많은 이유를 갖다 대면서 매번 다른 이들과 동행하면서 격주로 여름을 즐겼다. 내 사랑 워터파크를 외치며. 나는 수영을 못 했지만, 점점 나는 물을 좋아하는 사람이 되어갔다. 그렇게 몇 년을 여름만 되면 온갖 이벤트를 찾아보며 워터파크의 매력에 빠져들어 갔다. 나이 듦을 떠나 나도 그렇게 즐기고 놀 줄 아는 사람이란 것을 알았다. 그리고 수영을 배우면 더 재밌게 놀 수 있지 않을까? 하는 생각이 간절하다가도 여름이 지나면 또 잊어버리고는 했다.

사십 대 후반 나는 한 남자의 아내가 되어 제주로 이주했다. 사면이 바다인 이곳만의 환상을 가졌다. 언제든 바다로 갈 수 있는 거리가 만족스러웠고 언제든 바다의 차가움과 파도의 짜릿함을 온몸으로 느낄 수 있다고 간절히 원했던 것을 할 수 있다고 부풀어져 있었지만, 제주에서 태어나 바다 근처에 사는 어느 원주민의 한마디가 나를 왜라는 의문과 동시에 수긍함으로 혼돈이 오기도 했다. 집 앞이 바다여도 한번 들어가 보지 못했다는 말의 의미를 살아 보니 이해가 되었다. 설마 했던 마음이 나 역시 운전 중 해안 도로를 지나며 "바다다" 읊조리며 나와 상관없는 자연 배경인 양, 한편으로는 너무 가까이 내 곁에 있어서 당연시하며 변치 않고 사라지지 않을 거로 여기기 때문인 듯하다. 9년을 살면서 딱 두 번 바닷속에 들어가 보았다. 씻어도 씻어도 나오는 모래 알갱이와 태양의 열기로 달아올라 버린 바다의 물 온도와 모래에 데인 것 같은 발의 불편함의 감촉이 싫다는 것이 맞는 말이다. 역시 내게는 깔끔한 환경인 워터파크의 조화로움과 편안함이 맞다고 애써 부정하고 싶지 않은 마음이 한동안 적지 않게 작용했다.

올해도 여전히 덥다. 땀에 뒤범벅된 나는 들어가기를 거부하는 바다를 그리워하고 저 바다에 들어가려면 수영을 배웠어야 하는데 하고 속상한 마음을 조용히 표출해 본다. 언젠가 그 말을 들은 남편이 이렇게 말해준다. "자기야 걱정하지마! 수영 못해도 전신 슈트 사서 입고 바다 가면 수영도 할 수 있어. 우리 슈트 언제 살까?" 물놀이와 수영이 그리운 내게 남편은 본인이 갖고 싶은 슈트를 나를 핑계 삼아 은근슬쩍 '빨리 슈트를 사자고 말하라 오버!' 이렇게 원하는 바를 구한다. 이 남자의 뻔한 속내를 못 들은 척하지만 내게 충분히 구미가 당기는 유혹임을 인정하는 건 안 비밀이다. 큭! 자꾸 슈트 입은 뚱한 내 몸이 바다에 떠 있는 모습이 떠 올라 실없이 웃음이 나니 어째. 그러니 사? 말아?

지나간 세월과 남은 세월 앞에 감사를 전하다.

어느새 내 나이 오십의 중반이다. 폭주하는 기관차처럼 살아온 세월 속에 내가 있다. 세월 속에 잊은 듯 살았지만 내 한편의 마음속에는 작은 돌멩이 하나가 얹어있는 것 같다. 가끔 지인들끼리 이런 말들을 할 때가 있다 "만약에 젊은 시절로 돌아간다면 몇 살의 나이로 돌아가고 싶어?" 다들 10대 20대 학창 시절로 돌아가고 싶다고 그때의 추억담을 연신 쏟아낸다. 나는 다시 세월을 돌아 지금보다 젊은 나이로 돌아간다면 다른 이들처럼 10대 20대가 아닌 또한 부모가 온전히 살아있는 그 시절이 아닌 딱 33살의 나이의 나로 돌아가고 싶다고 말한다. 그래! 난 지금 그 나이가 33살이면 좋겠어. 33살의 나이 그해 년도는 2002년이다. 한일 월드컵으로 온 나라가 저마다 빨간 티셔츠를 입고 목청 높여 우리나라를 응원했고 나와 모든 국민이 그렇게 하나가 되고 열정을 불사르던 월드컵 4강 진출의 기쁨은 나 외에도 모든 사람의 기쁨과 추억의 연결고리였으니 말이다. 나는 그렇게 2002년 월드컵이 그립고 좋다.

또 그 나이쯤에 나는 앞도 옆도 볼 줄 아는 여유가 생겼고 어린 두 동생은 성장해서 각자 인생의 독립을 준비 과정이라 나는 정말로 남 부럽지 않았다. 그러나 인생은 내가 계획한 대로만 흘러가지 않는다고 찰나의 크고 작은 선택과 어리석은 생각들은 나의 그 행복한 그 과도기를 조금씩 파괴하듯 부수고 조각내었다. 그 파괴성은 참으로 대단한 것이 되어 더더욱 믿을 수 없는 사람과의 관계를 만들었고 나를 움츠리게 하는 마음의 병도 생기게 했으며 동생과의 가족 관계도 끊어진 동아줄이 되어 서로가 서로에게 생채기를 내며 등 돌리기를 수년을 지냈다. 울음과 후회와 어리석음이 혼합된 슬픔으로 반전된 나의 33살 이후의 삶이 나에게는 혹독하기만 했고 모든 것이 불행했고 슬펐고 모든 불운의 쓰라린 단어는 다 갖다 붙이고 나는 참 불쌍한 사람이라고 그러니 나 좀 안쓰럽게 바라봐 달라고 하고 그 누군가의 감정 안으로 들어가고 싶어 하면서 33살 그때의 나를 또 살아온 지금 50대 중반의 나를 영사기에 담아 돌아본다면 나는 그래도 잘 살았다고 스스로 토닥토닥 해주고 싶다. 밑바닥에서 한 발 한 발 잘 내딛고 내게 주어진 내 생명의 삶을 잘 견디며 살아내는 내가 단단해졌기를.

물론 주변에는 나를 애정으로 돌봐준 이들도 꽤 있었음은 물론이거니와 나 또한 언제부터였는지 몰라도 그 감정에 스며들며 살아가고 있는 지금이다. 그리고 언제부터였을까. 나는 나에게 질문한다. 앞으로 나는 어떻게 살아야 잘 사는 것일까? 그리고 백세시대에 딱 절반 조금 살았는데 이제 나의 생을 어떻게 잘 마무리하는 것이 아름다울까. 나의 지인분 중에 삶을 참 아름답게 매우 귀하게 사시는 분이 있다. 그분은 자식들과 어릴 적부터 많은 대화를 나누면서 인생의 정리에 관해 스스로 해 나가기를 다짐한 듯 실행하셨다. 자식들과 함께 불의의 사고 시 본인의 육체 일부를 기부하기를 서명하였고 그래서 그러기 위해 열심히 운동으로 관리를 하신다. 또 자식들에게 매해 새 유서를 작성하여 써서 보관하고 계신다. 최근 몇 년 사이에는 하고 싶은 말들의 반복이라 대신에 좋은 성경의 말씀과 그 말씀으로 하고 싶은 말을 쓰신다고 하신다. 그렇게 새해 첫날 작성한 그 유서는 짙은 와인 색상의 노트로 한 권이 족히 넘어가는 중이다. 실상 그 유서의 노트를 보는 순간 낡아진 세월의 흔적이 있었지만 뭉클함과 부러움으로 내 심장이 요동치며 저게 내 것이라면 하는 마음이 컸다.

그리고 당신의 죽음 뒤 정신없고 슬픔에 버거워할 자식들을 위해 매해 영정사진을 찍는다고 하셨다. 떠나는 날 현재의 그 마지막의 모습 그 아름다운 모습으로 남겨지길 바라는 마음도 있을 것 같다. 그건 내 생각도 같다. 가끔 장례식장에서 돌아가신 분의 영정사진이 연령대와 맞지 않은 사진을 보거나 급조된 듯 성의 없듯 보이는 것에 왠지 마음이 쓰였다. 아마도 그런 마음엔 내 엄마 얼굴이 선명함도 없는 흐리고 흐린 흑백의 주민등록증 사진으로 확대된 영정사진의 기억이 한몫한 그것도 있다. 그리고 그분은 매일 매일 자신의 물건들을 조금씩 정리하신다고 한다. 요즘 말하는 미니멀 라이프는 아니지만 그 많은 소유의 물건들을 살아갈 동안 다 쓰고 갈 수 있을까? 하는 마음도 있다고 하신다. 그분의 딸은 엄마가 떠나도 내가 깨끗이 잘 정리 할 거니 그만하시라 했다는데 그분은 최대한 당신의 소유물을 정리하고 깨끗이 하여 남아 있는 가족들 특히 자식들에게 죽음이 아름다운 이별이 되기를 그리고 엄마의 죽음으로 남은 당신의 소품들을 정리할 당신의 자식들이 많이 아파하지 않고 많이 슬퍼하지 않기를 바라는 마음이 크다고 하시는 말들이 나는 먹먹하면서도 담담히 공감되었다.

그래서인지 그 말을 들은 몇 해 전부터 나는 나에게 앞으로 어떻게 살아갈 것이며 내 마지막의 길을 어떻게 준비하고 맞이하며 나와 남은 이들에게 슬픔이 아닌 아름다운 추억으로 인생의 책 마지막 장을 잘 덮어 기쁘게 주고받을지를 질문하고 생각하고 또 질문한다. 작년 딱 일 년 전에 나는 무심코 사진관을 찾아 나섰다. 그리고 사진

하나를 찍어 액자에 담아 두었다. 물론 나의 마지막 가는 길에 쓰일 사진은 아니라고 말하기엔 반반의 감정이 있었다. 나는 매해 일 년 되는 날에 사진을 찍기로 다짐했다. 올해 벌써 일 년이 다가온다. 그날 나는 최고의 예쁜 모습으로 또 한 장의 모습을 남기고자 한다. 그게 내가 행복하고 아름답게 죽음을 맞이할 준비 과정의 첫 단추다. 그리고 나는 유서를 써보려고 한다. 그런데 그것을 하기도 전에 유서라는 단어에 나는 온몸이 떨리고 얼굴이 붉어지며 눈물이 떨어지지 않은 눈이건만 뜨겁게 달아올라 무겁기만 하다. 아직 나는 내 질문에 방황하며 정확한 길을 모르고 지금도 헤매고 있는 것이 진실에 가까운 사실이다. 누군가는 받아들여 행한 그것이라면 누군가는 혹 나에게는 아직은 어려운 숙제이기 때문인 듯하다. 나의 세 번째 준비 과정은 나의 물건들을 하나씩 정리해 나가는 것이다. 입지도 않은 옷들이며 신발 그리고 살림살이들 책장의 책들 취미를 위해 산 도구들을 둘러보고 꺼내 보니 참 많다. 실상 마음은 정리한다고 하지만 의욕만 앞

설 뿐 아직도 이것저것 재보고 있는 나를 발견한다. 이 욕심은 언제쯤 사그라들까.

 내 삶과 인생의 줄과 그리고 죽음을 다른 이들과 똑같이 자로 재듯 빗대어 살아내고 맞이하지는 못한다는 것을 나는 충분히 알고 있다. 그리고 입버릇처럼 내뱉는 말이 있다. 하나님께서 허락해 주신다면 나는 내 남자보다 하루나 이틀 더 살았으면 하는 바다. 인생의 중년에 만나 애틋했던 그에게 감사함을 다 갚을 수 없기에 나의 마지막 길에 그가 혼자 남아 슬퍼하지 않았으면 좋겠다. 내 남자의 마지막을 감사함과 축복함으로 애도하고 싶다. 혹여나 내가 먼저 죽음을 맞이한다면 나는 나의 장례를 원하지 않는다. 나의 애도 기간이 길지 않았으면 좋겠다. 남은 이들이 많이 슬퍼하지 않고 내 살아온 날을 추억하며 기쁘게 보내주길 바란다. 나는 지금의 나에게 또 남은 인생의 나에게 감사의 말을 전하고 싶다. 잘 살아주었다고 그리고 잘 살아 멋진 인생을 마무리하게 될 거란 것과 살아온 오십여 년 그리고 더 살아갈 수십 년 대견히도 잘 살아왔고 또 잘 살아 나갈 것임을 충분히 다짐하고 그래야 할 것임을 안다. 나는 나에게 질문한다. 지금 너의 상태는 너의 마음은 어때? 그리고 나는 답한다. 나는 나로 살아 감사해. 비록 힘든 역경도 있었지만, 세상은 나를 나로 나답게 함께 흘러간 세월이 지금 이렇게 이 세월의 시간 앞에 그리고 또 지나갈 세월과 언젠가는 맞이할 죽음 앞에 감사함을 간직해서 온 마음 다하여 진심 감사하다고 답해주고 싶다.

에필로그

힘겹게 힘겹게 봄을 보내고 여름의 이 계절 보내고 있다. 나의 힘겨움은 시작의 준비 과정이 너무나 길기에 나 스스로 고민과 나의 자책과 수많은 과정과 결과까지 미리 생각하며 나를 옥죄이는 시간이 너무 컸다.

글을 쓰고 싶다는 갈증이 어느 순간 행동으로 이어졌지만 나는 여전히 겁이 났다. 글의 주제도 또 내용의 정확한 요소를 알아내는 감정도 매우 서툴렀다. 그러한 시간이 지나가며 개인 저서를 만들 기회가 생겼다. 내가? 책을 만들 수 있는 일이 아니라 부정해 보았지만 나는 어느새 개인 저서를 만드는 작업에 동참 되어 있었다.

그럼에도 나는 글감이 떠 오르지 않아 매해 여름에 오는 내 몸의 고통을 핑계로 삼아 노트북 열기를 오늘내일 미루고 있었다. 그러던 어느 날 고영희 작가님의 전화에 위안이 되었다. 그냥 그 전화 통화가 좋았다. "와! 나 위로받았어." 나는 그냥 있는 그대로 나를 따뜻이 대해줄 그 무언가를 받고 힘을 얻고 싶었는지도 모르겠다.

노트북을 펴고 열심히 타자를 했다. 막상 써 내려가니 또다시 걱정이 솟구치고 겁이 났다. 불행한 것만 같은 나의 어릴 적의 일상들을 누군가 읽게 된다는 것에 두려움이 밀려왔다. 얼굴도 모르는 누군가에게 나란 사람에 대한 평가의 저울질을 받는다고 생각하면 무섭기까지 했다. 일어나지도 않은 그런 일들을 상상하며 그래도 서툴게 써 내려가는 그 시간이 왠지 행복했다.

어느 프로에서 심리 학자가 [안정적인 자존감]이라고 말한 문구에 공감이 갔다. '나를 더 내면이 단단한 사람으로 만든다. 무엇보다 자존감은 높고 낮음을 떠나서 안정성을 중요시한다. 기회의 중요성과 나의 목표를 위해 어떤 노력을 하는

가?' 이 뜻들이 얼추 나란 사람을 빗대어서 하는 말 같아서 '음 그래 나란 사람은 이런 사람이지' 하며 조금 당당히 써 내려간 듯하다.

그냥, 이야기는 나의 이야기이다. 내 어린 시절에서 어른이 된 나의 묵은지 같은 감정을 토해냈기에 후련함도 있지만 더 써 내지 못한 아쉬운 부분도 있다. 어느 시기가 되면 또 다른 나의 그냥, 이야기를 써 내려가고 있지 않을까? 아직도 나는 말하고 싶어 하는 그냥, 이야기가 많다.

우연이 인연이 되어 글을 쓰고 싶다는 마음으로 만난 '봄꽃처럼 꽃망울 작가님들'을 만나지 못했다면, 또 고영희 작가님의 위안과 자석처럼 이끌어 주는 잔잔한 힘이 없었다면, 그동안 말하지 못한 감정들을 글로 쓰는 것이 제일 좋다며 그 시기인 것 같다고 나의 두려움을 떨치게 해준 전근아 작가님의 응원이 없었다면, 또 글을 쓴다며 무엇인가 한다고 하는 내게 선뜻 노트북을 선물로 해준 내 남자의 응원이 없었더라면 아마도 마무리 지은 이 시간까지 오지 못했으리라 싶다.

모두 모두 감사하다. 하나하나 행복한 시간이었
음을 고백한다. 그리고 이 말을 하고 싶다. 평안
하세요! 사랑합니다!